Charles Perrault

Contes de ma Mère l'Oye

Dossier réalisé par
Hélène Tronc

Lecture d'image par
Valérie Lagier

Analyse des gravures de Gustave Doré par
Jean-Luc Vincent

Ancienne élève de l'École normale supérieure, **Hélène Tronc** est agrégée de lettres classiques, titulaire d'un DEA d'histoire de l'art et d'un mastère multimédia. Elle a enseigné en lettres et en histoire de l'art au collège et à l'université, en France et en Angleterre (Oxford et Cambridge). Elle a publié plusieurs ouvrages commentant des œuvres à destination des élèves, notamment *Rome* et *Combray* dans la collection La bibliothèque Gallimard.

Conservateur au musée de Grenoble puis au musée des Beaux-Arts de Rennes, **Valérie Lagier** a créé, à Rennes, un service éducatif très innovant, et assuré de nombreuses formations d'histoire de l'art. Elle est l'auteur de plusieurs publications scientifiques et pédagogiques. Elle est actuellement conservateur des musées de Vitré.

Ancien élève de l'École Normale Supérieure de la rue d'Ulm et agrégé de lettres classiques, **Jean-Luc Vincent** enseigne la littérature française de 1999 à 2002 avant de devenir comédien et dramaturge.

Couverture : Anonyme, XVIIe siècle, illustration pour *La Belle au bois dormant*, 1695. Copie manuscrite des *Contes de ma Mère l'Oye* de Charles Perrault. The Pierpont Morgan Library, New York. MA 1505. Photo Joseph Zehavi.

Sommaire

*Contes de
ma Mère l'Oye*

À
Mademoiselle[1]

MADEMOISELLE,

On ne trouvera pas étrange qu'un Enfant[2] *ait pris plaisir à composer les Contes de ce Recueil, mais on s'étonnera qu'il ait eu la hardiesse de vous les présenter. Cependant,* MADEMOISELLE, *quelque disproportion qu'il y ait entre la simplicité de ces Récits, et les lumières de votre esprit, si on examine bien ces Contes, on verra que je ne suis pas aussi blâmable que je le parais d'abord. Ils renferment tous une Morale très sensée, et qui se découvre plus ou moins, selon le degré de pénétration de ceux qui les lisent ; d'ailleurs comme rien ne marque tant la vaste étendue d'un esprit, que de pouvoir s'élever en même temps aux plus grandes choses, et s'abaisser aux plus petites, on ne sera point surpris que la même Princesse, à qui la Nature et l'éducation ont rendu familier ce qu'il y a de plus élevé, ne dédaigne pas de prendre plaisir à de semblables bagatelles. Il est vrai que ces Contes donnent*

1. Élisabeth-Charlotte d'Orléans, nièce de Louis XIV.
2. Pierre Darmancour, fils de Charles Perrault, qui a dix-neuf ans en 1697.

une image de ce qui se passe dans les moindres Familles, où la louable impatience d'instruire les enfants fait imaginer des Histoires dépourvues de raison, pour s'accommoder à ces mêmes enfants qui n'en ont pas encore ; mais à qui convient-il mieux de connaître comment vivent les Peuples, qu'aux Personnes que le Ciel destine à les conduire ? Le désir de cette connaissance a poussé des Héros, et même des Héros de votre Race, jusque dans des huttes et des cabanes, pour y voir de près et par eux-mêmes ce qui s'y passait de plus particulier : cette connaissance leur ayant paru nécessaire pour leur parfaite instruction. Quoi qu'il en soit, MADEMOISELLE,

Pouvais-je mieux choisir pour rendre vraisemblable
Ce que la Fable a d'incroyable ?
Et jamais Fée au temps jadis
Fit-elle à jeune Créature,
Plus de dons, et de dons exquis,
Que vous en a fait la Nature ?

Je suis avec un très profond respect,

MADEMOISELLE,

De Votre Altesse Royale,

Le très humble et
très obéissant serviteur,

P. DARMANCOUR.

La Belle au bois dormant

Il était une fois un Roi et une Reine, qui étaient si fâchés de n'avoir point d'enfants, si fâchés qu'on ne saurait dire. Ils allèrent à toutes les eaux[1] du monde ; vœux, pèlerinages, menues dévotions, tout fut mis en œuvre, et rien n'y faisait. Enfin pourtant la Reine devint grosse[2], et accoucha d'une fille : on fit un beau Baptême ; on donna pour Marraines à la petite Princesse toutes les Fées qu'on pût trouver dans le Pays (il s'en trouva sept), afin que chacune d'elles lui faisant un don, comme c'était la coutume des Fées en ce temps-là, la Princesse eût par ce moyen toutes les perfections imaginables.

Après les cérémonies du Baptême toute la compagnie revint au Palais du Roi, où il y avait un grand festin pour les Fées. On mit devant chacune d'elles un couvert magnifique, avec un étui d'or massif, où il y avait une cuiller, une fourchette, et un couteau de fin or, garni de diamants et de rubis.

Mais comme chacun prenait sa place à table, on vit

---

1. Eaux thermales.
2. La Reine tomba enceinte.

entrer une vieille Fée qu'on n'avait point priée parce qu'il y avait plus de cinquante ans qu'elle n'était sortie d'une Tour et qu'on la croyait morte, ou enchantée[1]. Le Roi lui fit donner un couvert, mais il n'y eut pas moyen de lui donner un étui d'or massif, comme aux autres, parce que l'on n'en avait fait faire que sept pour les sept Fées. La vieille crut qu'on la méprisait, et grommela quelques menaces entre ses dents. Une des jeunes Fées qui se trouva auprès d'elle l'entendit, et jugeant qu'elle pourrait donner quelque fâcheux don à la petite Princesse, alla dès qu'on fut sorti de table se cacher derrière la tapisserie, afin de parler la dernière, et de pouvoir réparer autant qu'il lui serait possible le mal que la vieille aurait fait.

Cependant les Fées commencèrent à faire leurs dons à la Princesse. La plus jeune lui donna pour don qu'elle serait la plus belle personne du monde, celle d'après qu'elle aurait de l'esprit comme un Ange, la troisième qu'elle aurait une grâce admirable à tout ce qu'elle ferait, la quatrième qu'elle danserait parfaitement bien, la cinquième qu'elle chanterait comme un Rossignol, et la sixième qu'elle jouerait de toutes sortes d'instruments dans la dernière perfection. Le rang de la vieille Fée étant venu, elle dit, en branlant la tête encore plus de dépit que de vieillesse, que la Princesse se percerait la main d'un fuseau, et qu'elle en mourrait.

Ce terrible don fit frémir toute la compagnie, et il n'y eut personne qui ne pleurât. Dans ce moment la jeune Fée sortit de derrière la tapisserie, et dit tout

---

1. Ensorcelée.

haut ces paroles : « Rassurez-vous, Roi et Reine, votre fille n'en mourra pas, il est vrai que je n'ai pas assez de puissance pour défaire entièrement ce que mon ancienne a fait. La Princesse se percera la main d'un fuseau, mais au lieu d'en mourir, elle tombera seulement dans un profond sommeil qui durera cent ans, au bout desquels le fils d'un Roi viendra la réveiller. »

Le Roi, pour tâcher d'éviter le malheur annoncé par la vieille, fit publier aussitôt un Édit, par lequel il défendait à toutes personnes de filer au fuseau, ni d'avoir des fuseaux chez soi sur peine de la vie[1].

Au bout de quinze ou seize ans, le Roi et la Reine étant allés à une de leurs Maisons de plaisance, il arriva que la jeune Princesse courant un jour dans le Château, et montant de chambre en chambre, alla jusqu'au haut d'un donjon dans un petit galetas[2], où une bonne Vieille était seule à filer sa quenouille. Cette bonne femme n'avait point ouï parler des défenses que le Roi avait faites de filer au fuseau. « Que faites-vous là, ma bonne femme ? dit la Princesse. — Je file, ma belle enfant, lui répondit la vieille qui ne la connaissait pas. — Ah ! que cela est joli, reprit la Princesse, comment faites-vous ? donnez-moi que je voie si j'en ferais bien autant. » Elle n'eut pas plus tôt pris le fuseau, que comme elle était fort vive, un peu étourdie, et que d'ailleurs l'Arrêt des Fées l'ordonnait ainsi, elle s'en perça la main, et tomba évanouie.

La bonne vieille, bien embarrassée, crie au secours : on vient de tous côtés, on jette de l'eau au visage de

1. Sous peine de perdre la vie.
2. Logement misérable.

la Princesse, on la délace, on lui frappe dans les mains, on lui frotte les tempes avec de l'eau de la Reine de Hongrie[1] ; mais rien ne la faisait revenir.

Alors le Roi, qui était monté au bruit, se souvint de la prédiction des Fées, et jugeant bien qu'il fallait que cela arrivât, puisque les Fées l'avaient dit, fit mettre la Princesse dans le plus bel appartement du Palais, sur un lit en broderie d'or et d'argent. On eût dit d'un Ange, tant elle était belle ; car son évanouissement n'avait pas ôté les couleurs vives de son teint : ses joues étaient incarnates, et ses lèvres comme du corail, elle avait seulement les yeux fermés, mais on l'entendait respirer doucement, ce qui faisait voir qu'elle n'était pas morte. Le Roi ordonna qu'on la laissât dormir en repos, jusqu'à ce que son heure de se réveiller fût venue.

La bonne Fée qui lui avait sauvé la vie, en la condamnant à dormir cent ans, était dans le Royaume de Mataquin, à douze mille lieues de là, lorsque l'accident arriva à la Princesse ; mais elle en fut avertie en un instant par un petit Nain, qui avait des bottes de sept lieues (c'était des bottes avec lesquelles on faisait sept lieues d'une seule enjambée). La Fée partit aussitôt, et on la vit au bout d'une heure arriver dans un chariot tout de feu, traîné par des dragons. Le Roi lui alla présenter la main à la descente du chariot.

Elle approuva tout ce qu'il avait fait, mais comme elle était grandement prévoyante, elle pensa que quand la Princesse viendrait à se réveiller, elle serait bien embarrassée toute seule dans ce vieux Château : voici

1. Eau tonifiante faite à base de plantes et d'alcool.

ce qu'elle fit. Elle toucha de sa baguette tout ce qui était dans ce Château (hors le Roi et la Reine), Gouvernantes, Filles d'Honneur[1], Femmes de Chambre, Gentilshommes, Officiers, Maîtres d'Hôtel, Cuisiniers, Marmitons, Galopins[2], Gardes, Suisses, Pages, Valets de pied, elle toucha aussi tous les chevaux qui étaient dans les Écuries, avec les Palefreniers, les gros mâtins[3] de basse-cour[4], et la petite Pouffe, petite chienne de la Princesse, qui était auprès d'elle sur son lit. Dès qu'elle les eut touchés, ils s'endormirent tous, pour ne se réveiller qu'en même temps que leur Maîtresse, afin d'être tout prêts à la servir quand elle en aurait besoin ; les broches mêmes qui étaient au feu toutes pleines de perdrix et de faisans s'endormirent, et le feu aussi. Tout cela se fit en un moment ; les Fées n'étaient pas longues à leur besogne.

Alors le Roi et la Reine, après avoir baisé leur chère enfant sans qu'elle s'éveillât, sortirent du château, et firent publier des défenses à qui que ce soit d'en approcher. Ces défenses n'étaient pas nécessaires, car il crût dans un quart d'heure tout autour du parc une si grande quantité de grands arbres et de petits, de ronces et d'épines entrelacées les unes dans les autres, que bête ni homme n'y aurait pu passer : en sorte qu'on ne voyait plus que le haut des Tours du Château, encore n'était-ce que de bien loin. On ne douta point que la Fée n'eût encore fait là un tour de son métier, afin que la Princesse,

1. Filles qui servent la reine.
2. Petits garçons de cuisine.
3. Gros chiens.
4. Cour située à l'arrière où sont logés les valets.

pendant qu'elle dormirait, n'eût rien à craindre des Curieux.

Au bout de cent ans, le Fils du Roi qui régnait alors, et qui était d'une autre famille que la Princesse endormie, étant allé à la chasse de ce côté-là, demanda ce que c'était que des Tours qu'il voyait au-dessus d'un grand bois fort épais ; chacun lui répondit selon qu'il en avait ouï parler. Les uns disaient que c'était un vieux Château où il revenait des Esprits ; les autres que tous les Sorciers de la contrée y faisaient leur sabbat. La plus commune opinion était qu'un Ogre y demeurait, et que là il emportait tous les enfants qu'il pouvait attraper, pour les pouvoir manger à son aise, et sans qu'on le pût suivre, ayant seul le pouvoir de se faire un passage au travers du bois.

Le Prince ne savait qu'en croire, lorsqu'un vieux Paysan prit la parole, et lui dit : « Mon Prince, il y a plus de cinquante ans que j'ai ouï dire à mon père qu'il y avait dans ce Château une Princesse, la plus belle du monde ; qu'elle y devait dormir cent ans, et qu'elle serait réveillée par le fils d'un Roi, à qui elle était réservée. »

Le jeune Prince, à ce discours, se sentit tout de feu ; il crut sans balancer qu'il mettrait fin à une si belle aventure ; et poussé par l'amour et par la gloire, il résolut de voir sur-le-champ ce qui en était. À peine s'avança-t-il vers le bois, que tous ces grands arbres, ces ronces et ces épines s'écartèrent d'elles-mêmes pour le laisser passer : il marche vers le Château qu'il voyait au bout d'une grande avenue où il entra, et ce qui le surprit un peu, il vit que personne de ses gens ne l'avait pu suivre, parce que les arbres s'étaient rapprochés dès qu'il avait été passé. Il ne laissa pas de continuer son chemin : un Prince jeune et amoureux est toujours vaillant.

Il entra dans une grande avant-cour où tout ce qu'il vit d'abord était capable de le glacer de crainte : c'était un silence affreux, l'image de la mort s'y présentait partout, et ce n'était que des corps étendus d'hommes et d'animaux, qui paraissaient morts. Il reconnut pourtant bien au nez bourgeonné[1] et à la face vermeille des Suisses, qu'ils n'étaient qu'endormis, et leurs tasses où il y avait encore quelques gouttes de vin montraient assez qu'ils s'étaient endormis en buvant.

Il passe une grande cour pavée de marbre, il monte l'escalier, il entre dans la salle des Gardes qui étaient rangés en haie, la carabine sur l'épaule, et ronflant de leur mieux. Il traverse plusieurs chambres pleines de Gentilshommes et de Dames, dormant tous, les uns debout, les autres assis ; il entre dans une chambre toute dorée, et il vit sur un lit, dont les rideaux étaient ouverts de tous côtés, le plus beau spectacle qu'il eût jamais vu : une Princesse qui paraissait avoir quinze ou seize ans, et dont l'éclat resplendissant avait quelque chose de lumineux et de divin. Il s'approcha en tremblant et en admirant, et se mit à genoux auprès d'elle.

Alors comme la fin de l'enchantement était venue, la Princesse s'éveilla ; et le regardant avec des yeux plus tendres qu'une première vue ne semblait le permettre : « Est-ce vous, mon Prince ? lui dit-elle, vous vous êtes bien fait attendre. » Le Prince charmé de

1. Couvert de boutons.

ces paroles, et plus encore de la manière dont elles étaient dites, ne savait comment lui témoigner sa joie et sa reconnaissance ; il l'assura qu'il l'aimait plus que lui-même. Ses discours furent mal rangés [1], ils en plurent davantage ; peu d'éloquence, beaucoup d'amour. Il était plus embarrassé qu'elle, et l'on ne doit pas s'en étonner ; elle avait eu le temps de songer à ce qu'elle aurait à lui dire, car il y a apparence (l'Histoire n'en dit pourtant rien) que la bonne Fée, pendant un si long sommeil, lui avait procuré le plaisir des songes agréables. Enfin il y avait quatre heures qu'ils se parlaient, et ils ne s'étaient pas encore dit la moitié des choses qu'ils avaient à se dire.

Cependant tout le Palais s'était réveillé avec la Princesse ; chacun songeait à faire sa charge [2], et comme ils n'étaient pas tous amoureux, ils mouraient de faim ; la Dame d'honneur, pressée comme les autres, s'impatienta, et dit tout haut à la Princesse que la viande était servie. Le Prince aida à la Princesse à se lever, elle était tout habillée et fort magnifiquement, mais il se garda bien de lui dire qu'elle était habillée comme ma mère-grand, et qu'elle avait un collet monté [3], elle n'en était pas moins belle.

Ils passèrent dans un Salon de miroirs, et y soupèrent, servis par les Officiers de la Princesse, les Violons et les Hautbois jouèrent de vieilles pièces, mais excellentes, quoiqu'il y eût près de cent ans qu'on ne les jouât plus ; et après soupé, sans perdre de temps,

---

1. Mal tournés.
2. À s'acquitter de son emploi.
3. Haut col en dentelle maintenu par du fil de fer, qui était déjà démodé au XVIIe siècle.

le grand Aumônier les maria dans la Chapelle du Château, et la Dame d'honneur leur tira le rideau : ils dormirent peu, la Princesse n'en avait pas grand besoin, et le Prince la quitta dès le matin pour retourner à la Ville, où son Père devait être en peine de lui.

Le Prince lui dit qu'en chassant il s'était perdu dans la forêt, et qu'il avait couché dans la hutte d'un Charbonnier, qui lui avait fait manger du pain noir et du fromage. Le Roi son père, qui était bon homme, le crut, mais sa Mère n'en fut pas bien persuadée, et voyant qu'il allait presque tous les jours à la chasse, et qu'il avait toujours une raison en main pour s'excuser, quand il avait couché deux ou trois nuits dehors, elle ne douta plus qu'il n'eût quelque amourette : car il vécut avec la Princesse plus de deux ans entiers, et en eut deux enfants, dont le premier, qui fut une fille, fut nommée l'Aurore, et le second un fils, qu'on nomma le Jour, parce qu'il paraissait encore plus beau que sa sœur.

La Reine dit plusieurs fois à son fils, pour le faire expliquer, qu'il fallait se contenter[1] dans la vie, mais il n'osa jamais se fier à elle de son secret[2] ; il la craignait quoiqu'il l'aimât, car elle était de race Ogresse, et le Roi ne l'avait épousée qu'à cause de ses grands biens ; on disait même tout bas à la Cour qu'elle avait les inclinations des Ogres, et qu'en voyant passer de petits enfants, elle avait toutes les peines du monde à se retenir de se jeter sur eux ; ainsi le Prince ne voulut jamais rien dire.

---

1. Se satisfaire.
2. Il n'osa jamais lui confier son secret.

Mais quand le Roi fut mort, ce qui arriva au bout de deux ans, et qu'il se vit le maître, il déclara publiquement son Mariage, et alla en grande cérémonie quérir la Reine sa femme dans son Château. On lui fit une entrée magnifique dans la Ville Capitale, où elle entra au milieu de ses deux enfants.

Quelque temps après le Roi alla faire la guerre à l'Empereur Cantalabutte son voisin. Il laissa la Régence[1] du Royaume à la Reine sa mère, et lui recommanda fort sa femme et ses enfants : il devait être à la guerre tout l'Été, et dès qu'il fut parti, la Reine-Mère envoya sa Bru[2] et ses enfants à une maison de campagne dans les bois, pour pouvoir plus aisément assouvir son horrible envie.

Elle y alla quelques jours après, et dit un soir à son Maître d'Hôtel : « Je veux manger demain à mon dîner la petite Aurore. — Ah ! Madame, dit le Maître d'Hôtel. — Je le veux, dit la Reine (et elle le dit d'un ton d'Ogresse qui a envie de manger de la chair fraîche), et je la veux manger à la Sauce-robert[3]. »

Ce pauvre homme voyant bien qu'il ne fallait pas se jouer à[4] une Ogresse, prit son grand couteau, et monta à la chambre de la petite Aurore : elle avait pour lors quatre ans, et vint en sautant et en riant se jeter à son col[5], et lui demander du bonbon. Il se mit

1. Gouvernement du royaume pendant que le roi est trop jeune.

2. Sa belle-fille.

3. Sauce avec des oignons, de la moutarde, du beurre, du poivre, du sel et du vinaigre servie habituellement avec du porc rôti.

4. Se mesurer à.

5. Cou.

à pleurer, le couteau lui tomba des mains, et il alla dans la basse-cour couper la gorge à un petit agneau, et lui fit une si bonne sauce que sa Maîtresse l'assura qu'elle n'avait jamais rien mangé de si bon. Il avait emporté en même temps la petite Aurore, et l'avait donnée à sa femme pour la cacher dans le logement qu'elle avait au fond de la basse-cour.

Huit jours après la méchante Reine dit à son Maître d'Hôtel : « Je veux manger à mon souper le petit Jour. » Il ne répliqua pas, résolu de la tromper comme l'autre fois, il alla chercher le petit Jour, et le trouva avec un petit fleuret à la main, dont il faisait des armes avec un gros Singe ; il n'avait pourtant que trois ans. Il le porta à sa femme qui le cacha avec la petite Aurore, et donna à la place du petit Jour un petit chevreau fort tendre, que l'Ogresse trouva admirablement bon.

Cela était fort bien allé jusque-là ; mais un soir cette méchante Reine dit au Maître d'Hôtel : « Je veux manger la Reine à la même sauce que ses enfants. » Ce fut alors que le pauvre Maître d'Hôtel désespéra de la pouvoir encore tromper. La jeune Reine avait vingt ans passés, sans compter les cent ans qu'elle avait dormi : sa peau était un peu dure, quoique belle et blanche ; et le moyen de trouver dans la Ménagerie[1] une bête aussi dure que cela ?

Il prit la résolution, pour sauver sa vie, de couper la gorge à la Reine, et monta dans sa chambre, dans l'intention de n'en pas faire à deux fois[2] ; il s'excitait à la fureur, et entra le poignard à la main dans la

1. Endroit où l'on engraisse des animaux.
2. De ne pas s'y reprendre à deux fois.

chambre de la jeune Reine. Il ne voulut pourtant point la surprendre, et il lui dit avec beaucoup de respect l'ordre qu'il avait reçu de la Reine-Mère. « Faites votre devoir, lui dit-elle, en lui tendant le col ; exécutez l'ordre qu'on vous a donné ; j'irai revoir mes enfants, mes pauvres enfants que j'ai tant aimés » ; car elle les croyait morts depuis qu'on les avait enlevés sans lui rien dire. « Non, non, Madame, lui répondit le pauvre Maître d'Hôtel tout attendri, vous ne mourrez point, et vous ne laisserez pas d'aller revoir vos chers enfants, mais ce sera chez moi où je les ai cachés, et je tromperai encore la Reine, en lui faisant manger une jeune biche en votre place. »

Il la mena aussitôt à sa chambre, où la laissant embrasser ses enfants et pleurer avec eux, il alla accommoder une biche, que la Reine mangea à son soupé, avec le même appétit que si c'eût été la jeune Reine. Elle était bien contente de sa cruauté, et elle se préparait à dire au Roi, à son retour, que les loups enragés avaient mangé la Reine sa femme et ses deux enfants.

Un soir qu'elle rôdait à son ordinaire dans les cours et basses-cours du Château pour y halener[1] quelque viande fraîche, elle entendit dans une salle basse le petit Jour qui pleurait, parce que la Reine sa mère le voulait faire fouetter, à cause qu'il avait été méchant, et elle entendit aussi la petite Aurore qui demandait pardon pour son frère. L'Ogresse reconnut la voix de la Reine et de ses enfants, et furieuse d'avoir été trompée, elle commande dès le

1. Flairer le gibier.

lendemain au matin, avec une voix épouvantable qui faisait trembler tout le monde, qu'on apportât au milieu de la cour une grande cuve, qu'elle fit remplir de crapauds, de vipères, de couleuvres et de serpents, pour y faire jeter la Reine et ses enfants, le Maître d'Hôtel, sa femme et sa servante : elle avait donné ordre de les amener les mains liées derrière le dos.

Ils étaient là, et les bourreaux se préparaient à les jeter dans la cuve, lorsque le Roi, qu'on n'attendait pas si tôt, entra dans la cour à cheval ; il était venu en poste[1], et demanda tout étonné[2] ce que voulait dire cet horrible spectacle ; personne n'osait l'en instruire, quand l'Ogresse, enragée de voir ce qu'elle voyait, se jeta elle-même la tête la première dans la cuve, et fut dévorée en un instant par les vilaines bêtes qu'elle y avait fait mettre. Le Roi ne laissa pas d'en être fâché[3] : elle était sa mère ; mais il s'en consola bientôt avec sa belle femme et ses enfants.

MORALITÉ

Attendre quelque temps pour avoir un époux,
Riche, bien fait, galant et doux,
La chose est assez naturelle,
Mais l'attendre cent ans, et toujours en dormant,
On ne trouve plus de femelle,
Qui dormît si tranquillement.

1. Lieu où les courriers trouvent des chevaux frais.
2. Épouvanté.
3. Affligé.

AUTRE MORALITÉ

La Fable semble encor vouloir nous faire entendre,
Que souvent de l'Hymen[1] *les agréables nœuds,*
Pour être différés, n'en sont pas moins heureux,
Et qu'on ne perd rien pour attendre ;
Mais le sexe avec tant d'ardeur,
Aspire à la foi conjugale,
Que je n'ai pas la force ni le cœur[2]*,*
De lui prêcher cette morale.

1. Mariage.
2. Courage.

Le Petit Chaperon rouge

Il était une fois une petite fille de Village, la plus jolie qu'on eût su voir ; sa mère en était folle, et sa mère-grand plus folle encore. Cette bonne femme lui fit faire un petit chaperon [1] rouge, qui lui seyait si bien, que partout on l'appelait le Petit chaperon rouge.

Un jour sa mère, ayant cuit [2] et fait des galettes, lui dit : « Va voir comme se porte ta mère-grand, car on m'a dit qu'elle était malade, porte-lui une galette et ce petit pot de beurre. » Le petit chaperon rouge partit aussitôt pour aller chez sa mère-grand, qui demeurait dans un autre Village.

En passant dans un bois elle rencontra compère [3] le Loup, qui eut bien envie de la manger ; mais il n'osa, à cause de quelques Bûcherons qui étaient dans la Forêt. Il lui demanda où elle allait ; la pauvre enfant, qui ne savait pas qu'il est dangereux de s'arrêter à écouter un Loup, lui dit : « Je vais voir ma Mère-grand, et lui porter une galette avec un petit pot de beurre que

1. Bande de velours portée sur le bonnet.
2. Fait cuire du pain.
3. Le mot, qui signifiait « parrain », a évolué vers le sens de « personne rusée ».

ma Mère lui envoie. — Demeure-t-elle bien loin ? lui dit le Loup. — Oh ! oui, dit le petit chaperon rouge, c'est par-delà le moulin que vous voyez tout là-bas, là-bas, à la première maison du Village. — Hé bien, dit le Loup, je veux l'aller voir aussi ; je m'y en vais par ce chemin ici, et toi par ce chemin-là, et nous verrons qui plus tôt y sera. »

Le Loup se mit à courir de toute sa force par le chemin qui était le plus court, et la petite fille s'en alla par le chemin le plus long, s'amusant à cueillir des noisettes, à courir après des papillons, et à faire des bouquets des petites fleurs qu'elle rencontrait.

Le Loup ne fut pas longtemps à arriver à la maison de la Mère-grand, il heurte : Toc, toc. « Qui est là ? — C'est votre fille le petit chaperon rouge (dit le Loup, en contrefaisant sa voix) qui vous apporte une galette et un petit pot de beurre que ma Mère vous envoie. » La bonne Mère-grand, qui était dans son lit à cause qu'elle se trouvait un peu mal, lui cria : « Tire la chevillette[1], la bobinette[2] cherra[3]. » Le Loup tira la chevillette, et la porte s'ouvrit. Il se jeta sur la bonne femme, et la dévora en moins de rien ; car il y avait plus de trois jours qu'il n'avait mangé.

Ensuite il ferma la porte, et s'alla coucher dans le lit de la Mère-grand, en attendant le petit chaperon rouge, qui quelque temps après vint heurter à la porte. Toc, toc. « Qui est là ? » Le petit chaperon rouge, qui entendit la grosse voix du Loup, eut peur

1. Sorte de clé attachée à une corde.
2. Loquet.
3. Tombera (du verbe « choir »).

d'abord, mais croyant que sa Mère-grand était enrhumée, répondit : « C'est votre fille le petit chaperon rouge, qui vous apporte une galette et un petit pot de beurre que ma Mère vous envoie. » Le Loup lui cria en adoucissant un peu sa voix : « Tire la chevillette, la bobinette cherra. » Le petit chaperon rouge tira la chevillette, et la porte s'ouvrit.

Le Loup, la voyant entrer, lui dit en se cachant dans le lit sous la couverture : « Mets la galette et le petit pot de beurre sur la huche[1], et viens te coucher avec moi. » Le petit chaperon rouge se déshabille, et va se mettre dans le lit, où elle fut bien étonnée de voir comment sa Mère-grand était faite en son déshabillé[2]. Elle lui dit : « Ma mère-grand, que vous avez de grands bras ! — C'est pour mieux t'embrasser, ma fille. — Ma mère-grand, que vous avez de grandes jambes ! — C'est pour mieux courir, mon enfant. — Ma mère-grand, que vous avez de grandes oreilles ! — C'est pour mieux écouter, mon enfant. — Ma mère-grand, que vous avez de grands yeux ! — C'est pour mieux voir, mon enfant. — Ma mère-grand, que vous avez de grandes dents ! — C'est pour te manger. » — Et en disant ces mots, ce méchant Loup se jeta sur le petit chaperon rouge, et la mangea.

1. Grand coffre pour conserver le pain.
2. Tenue d'intérieur.

MORALITÉ

On voit ici que de jeunes enfants,
Surtout de jeunes filles
Belles, bien faites, et gentilles,
Font très mal d'écouter toute sorte de gens,
Et que ce n'est pas chose étrange,
S'il en est tant que le loup mange.
Je dis le loup, car tous les loups
Ne sont pas de la même sorte ;
Il en est d'une humeur accorte[1],
Sans bruit, sans fiel[2] *et sans courroux,*
Qui privés[3], *complaisants et doux,*
Suivent les jeunes Demoiselles
Jusque dans les maisons, jusque dans les ruelles[4] ;
Mais hélas ! qui ne sait que ces Loups doucereux,
De tous les Loups sont les plus dangereux.

---

1. Aimable.
2. Sans méchanceté.
3. Apprivoisés.
4. Chambres des dames.

La Barbe bleue

Il était une fois un homme qui avait de belles maisons à la Ville et à la Campagne, de la vaisselle d'or et d'argent, des meubles en broderie, et des carrosses tout dorés ; mais par malheur cet homme avait la Barbe bleue : cela le rendait si laid et si terrible, qu'il n'était ni femme ni fille qui ne s'enfuît de devant lui.

Une de ses Voisines, Dame de qualité [1], avait deux filles parfaitement belles. Il lui en demanda une en Mariage, et lui laissa le choix de celle qu'elle voudrait lui donner. Elles n'en voulaient point toutes deux, et se le renvoyaient l'une à l'autre, ne pouvant se résoudre à prendre un homme qui eût la barbe bleue. Ce qui les dégoûtait encore, c'est qu'il avait déjà épousé plusieurs femmes, et qu'on ne savait ce que ces femmes étaient devenues.

La Barbe bleue, pour faire connaissance, les mena avec leur Mère, et trois ou quatre de leurs meilleures amies, et quelques jeunes gens du voisinage, à une de ses maisons de Campagne, où on demeura huit jours entiers. Ce n'était que promenades, que parties de

---

1. Dame de la noblesse.

chasse et de pêche, que danses et festins, que collations[1] : on ne dormait point, et on passait toute la nuit à se faire des malices les uns aux autres ; enfin tout alla si bien, que la Cadette commença à trouver que le Maître du logis n'avait plus la barbe si bleue, et que c'était un fort honnête homme[2]. Dès qu'on fut de retour à la Ville, le Mariage se conclut.

Au bout d'un mois la Barbe bleue dit à sa femme qu'il était obligé de faire un voyage en Province, de six semaines au moins, pour une affaire de conséquence ; qu'il la priait de se bien divertir pendant son absence, qu'elle fît venir ses bonnes amies, qu'elle les menât à la Campagne si elle voulait, que partout elle fit bonne chère. « Voilà, lui dit-il, les clefs des deux grands garde-meubles[3], voilà celles de la vaisselle d'or et d'argent qui ne sert pas tous les jours, voilà celles de mes coffres-forts, où est mon or et mon argent, celles des cassettes[4] où sont mes pierreries, et voilà le passe-partout de tous les appartements. Pour cette petite clef-ci, c'est la clef du cabinet[5] au bout de la grande galerie de l'appartement bas[6] : ouvrez tout, allez partout, mais pour ce petit cabinet, je vous défends d'y entrer, et je vous le défends de telle sorte, que s'il vous arrive de l'ouvrir, il n'y a rien que vous ne deviez attendre de ma colère. »

---

1. Grand repas fait à l'heure du goûter ou au milieu de la nuit.
2. Homme de bien et d'honneur, qui sait vivre en société.
3. Endroit où l'on mettait les meubles quand on ne s'en servait pas puisqu'on en changeait selon les saisons.
4. Coffrets.
5. Petite pièce retirée d'un appartement.
6. L'appartement du rez-de-chaussée, tandis que l'épouse habite souvent au premier.

Elle promit d'observer exactement tout ce qui lui venait d'être ordonné ; et lui, après l'avoir embrassée, il monte dans son carrosse, et part pour son voyage.

Les voisines et les bonnes amies n'attendirent pas qu'on les envoyât quérir pour aller chez la jeune Mariée, tant elles avaient d'impatience de voir toutes les richesses de sa Maison, n'ayant osé y venir pendant que le Mari y était, à cause de sa Barbe bleue qui leur faisait peur. Les voilà aussitôt à parcourir les chambres, les cabinets, les garde-robes, toutes plus belles et plus riches les unes que les autres. Elles montèrent ensuite aux garde-meubles, où elles ne pouvaient assez admirer le nombre et la beauté des tapisseries, des lits, des sofas[1], des cabinets, des guéridons, des tables et des miroirs, où l'on se voyait depuis les pieds jusqu'à la tête, et dont les bordures, les unes de glace, les autres d'argent et de vermeil doré[2], étaient les plus belles et les plus magnifiques qu'on eût jamais vues. Elles ne cessaient d'exagérer et d'envier le bonheur de leur amie, qui cependant ne se divertissait point à voir toutes ces richesses, à cause de l'impatience qu'elle avait d'aller ouvrir le cabinet de l'appartement bas.

Elle fut si pressée de sa curiosité, que sans considérer qu'il était malhonnête[3] de quitter sa compagnie[4], elle y descendit par un petit escalier dérobé, et avec tant de précipitation, qu'elle pensa se rompre le cou deux ou trois fois. Étant arrivée à la porte du

---

1. Canapés dont la mode est venue de Turquie.
2. Argent doré.
3. Impoli.
4. De quitter les invités.

cabinet, elle s'y arrêta quelque temps, songeant à la défense que son Mari lui avait faite, et considérant qu'il pourrait lui arriver malheur d'avoir été désobéissante ; mais la tentation était si forte qu'elle ne put la surmonter : elle prit donc la petite clef, et ouvrit en tremblant la porte du cabinet.

D'abord elle ne vit rien, parce que les fenêtres étaient fermées ; après quelques moments elle commença à voir que le plancher était tout couvert de sang caillé, et que dans ce sang se miraient[1] les corps de plusieurs femmes mortes et attachées le long des murs (c'était toutes les femmes que la Barbe bleue avait épousées et qu'il avait égorgées l'une après l'autre). Elle pensa mourir de peur, et la clef du cabinet qu'elle venait de retirer de la serrure lui tomba de la main.

Après avoir un peu repris ses esprits, elle ramassa la clef, referma la porte, et monta à sa chambre pour se remettre un peu ; mais elle n'en pouvait venir à bout, tant elle était émue. Ayant remarqué que la clef du cabinet était tachée de sang, elle l'essuya deux ou trois fois, mais le sang ne s'en allait point ; elle eut beau la laver, et même la frotter avec du sablon[2] et avec du grès, il y demeura toujours du sang, car la clef était Fée[3], et il n'y avait pas moyen de la nettoyer tout à fait : quand on ôtait le sang d'un côté, il revenait de l'autre.

La Barbe bleue revint de son voyage dès le soir

1. Se reflétaient.
2. Sable utilisé pour nettoyer la vaisselle en étain.
3. Enchantée.

même, et dit qu'il avait reçu des Lettres dans le chemin, qui lui avaient appris que l'affaire pour laquelle il était parti venait d'être terminée à son avantage. Sa femme fit tout ce qu'elle put pour lui témoigner qu'elle était ravie de son prompt retour.

Le lendemain il lui redemanda les clefs, et elle les lui donna, mais d'une main si tremblante, qu'il devina sans peine tout ce qui s'était passé. « D'où vient, lui dit-il, que la clef du cabinet n'est point avec les autres ? — Il faut, dit-elle, que je l'aie laissée là-haut sur ma table. — Ne manquez pas, dit la Barbe bleue, de me la donner tantôt[1]. » Après plusieurs remises[2], il fallut apporter la clef. La Barbe bleue, l'ayant considérée, dit à sa femme : « Pourquoi y a-t-il du sang sur cette clef ? — Je n'en sais rien, répondit la pauvre femme, plus pâle que la mort. — Vous n'en savez rien, reprit la Barbe bleue, je le sais bien, moi, vous avez voulu entrer dans le cabinet ! Hé bien, Madame, vous y entrerez, et irez prendre votre place auprès des Dames que vous y avez vues. »

Elle se jeta aux pieds de son Mari, en pleurant et en lui demandant pardon, avec toutes les marques d'un vrai repentir de n'avoir pas été obéissante. Elle aurait attendri un rocher, belle et affligée comme elle était ; mais la Barbe bleue avait le cœur plus dur qu'un rocher. « Il faut mourir, Madame, lui dit-il, et tout à l'heure[3]. — Puisqu'il faut mourir, répondit-elle, en le regardant les yeux baignés de larmes, donnez-moi un

1. Bientôt.
2. Délais.
3. Sur-le-champ.

peu de temps pour prier Dieu. — Je vous donne un demi-quart d'heure, reprit la Barbe bleue, mais pas un moment davantage. »

Lorsqu'elle fut seule, elle appela sa sœur, et lui dit : « Ma sœur Anne (car elle s'appelait ainsi), monte, je te prie, sur le haut de la Tour, pour voir si mes frères ne viennent point ; ils m'ont promis qu'ils me viendraient voir aujourd'hui, et si tu les vois, fais-leur signe de se hâter. » La sœur Anne monta sur le haut de la Tour, et la pauvre affligée lui criait de temps en temps : « *Anne, ma sœur Anne, ne vois-tu rien venir ?* » Et la sœur Anne lui répondait : « *Je ne vois rien que le Soleil qui poudroie, et l'herbe qui verdoie.* »

Cependant la Barbe bleue, tenant un grand coutelas à sa main, criait de toute sa force à sa femme : « Descends vite, ou je monterai là-haut. — Encore un moment, s'il vous plaît », lui répondait sa femme ; et aussitôt elle criait tout bas : « *Anne, ma sœur Anne, ne vois-tu rien venir ?* » Et la sœur Anne répondait : « *Je ne vois rien que le Soleil qui poudroie, et l'herbe qui verdoie.* »

« Descends donc vite, criait la Barbe bleue, ou je monterai là-haut. — Je m'en vais[1] », répondait sa femme, et puis elle criait : « *Anne, ma sœur Anne, ne vois-tu rien venir ?* — Je vois, répondit la sœur Anne, une grosse poussière qui vient de ce côté-ci. — Sont-ce mes frères ? — Hélas ! non ma sœur, c'est un Troupeau de Moutons. — Ne veux-tu pas descendre ? criait la Barbe bleue. — Encore un moment », répondait sa femme, et puis elle criait : « *Anne, ma sœur*

1. Je vais venir.

Anne, ne vois-tu rien venir? — Je vois, répondit-elle, deux Cavaliers[1] qui viennent de ce côté-ci, mais ils sont bien loin encore… Dieu soit loué, s'écria-t-elle un moment après, ce sont mes frères; je leur fais signe tant que je puis de se hâter.»

La Barbe bleue se mit à crier si fort que toute la maison en trembla. La pauvre femme descendit, et alla se jeter à ses pieds tout épleurée[2] et tout échevelée. «Cela ne sert de rien, dit la Barbe bleue, il faut mourir.» Puis la prenant d'une main par les cheveux, et de l'autre levant le coutelas en l'air, il allait lui abattre la tête. La pauvre femme se tournant vers lui, et le regardant avec des yeux mourants, le pria de lui donner un petit moment pour se recueillir. «Non, non, dit-il, recommande-toi bien à Dieu»; et levant son bras…

Dans ce moment on heurta si fort à la porte, que la Barbe bleue s'arrêta tout court: on ouvrit, et aussitôt on vit entrer deux Cavaliers, qui mettant l'épée à la main, coururent droit à la Barbe bleue. Il reconnut que c'était les frères de sa femme, l'un Dragon[3] et l'autre Mousquetaire, de sorte qu'il s'enfuit aussitôt pour se sauver[4]; mais les deux frères le poursuivirent de si près, qu'ils l'attrapèrent avant qu'il pût gagner le perron. Ils lui passèrent leur épée au travers du corps, et le laissèrent mort. La pauvre femme était presque aussi morte que son Mari, et n'avait pas la force de se lever pour embrasser ses Frères.

---

1. Chevaliers.
2. Éplorée, en pleurs.
3. Soldat de la cavalerie.
4. Se mettre en sûreté.

Il se trouva que la Barbe bleue n'avait point d'héritiers, et qu'ainsi sa femme demeura maîtresse de tous ses biens. Elle en employa une partie à marier sa sœur Anne avec un jeune Gentilhomme, dont elle était aimée depuis longtemps ; une autre partie à acheter des Charges[1] de Capitaine à ses deux frères ; et le reste à se marier elle-même à un fort honnête homme, qui lui fit oublier le mauvais temps qu'elle avait passé avec la Barbe bleue.

MORALITÉ

La curiosité malgré tous ses attraits,
Coûte souvent bien des regrets ;
On en voit tous les jours mille exemples paraître.
C'est, n'en déplaise au sexe, un plaisir bien léger ;
Dès qu'on le prend il cesse d'être,
Et toujours il coûte trop cher.

AUTRE MORALITÉ

Pour peu qu'on ait l'esprit sensé,
Et que du Monde on sache le grimoire,
On voit bientôt que cette histoire
Est un conte du temps passé ;
Il n'est plus d'Époux si terrible,
Ni qui demande l'impossible,
Fût-il malcontent et jaloux.

1. Emplois que l'on achète pour en tirer un revenu.

Près de sa femme on le voit filer doux;
Et de quelque couleur que sa barbe puisse être,
On a peine à juger qui des deux est le maître.

Le Maître Chat ou Le Chat botté

Un Meunier ne laissa pour tous biens à trois enfants qu'il avait, que son Moulin, son Âne, et son Chat. Les partages furent bientôt faits, ni le Notaire, ni le Procureur n'y furent point appelés. Ils auraient eu bientôt mangé tout le pauvre patrimoine. L'aîné eut le Moulin, le second eut l'Âne, et le plus jeune n'eut que le Chat.

Ce dernier ne pouvait se consoler d'avoir un si pauvre lot : « Mes frères, disait-il, pourront gagner leur vie honnêtement en se mettant ensemble ; pour moi, lorsque j'aurai mangé mon chat, et que je me serai fait un manchon[1] de sa peau, il faudra que je meure de faim. »

Le Chat qui entendait ce discours, mais qui n'en fit pas semblant[2], lui dit d'un air posé et sérieux : « Ne vous affligez point, mon maître, vous n'avez qu'à me donner un Sac, et me faire faire une paire de Bottes pour aller dans les broussailles, et vous verrez que vous n'êtes pas si mal partagé[3] que vous croyez. »

---

1. Rouleau de fourrure pour tenir les mains au chaud.
2. Qui n'en laissa rien paraître.
3. Pas si mal loti.

Quoique le Maître du chat ne fît pas grand fond là-dessus[1], il lui avait vu faire tant de tours de souplesse, pour prendre des Rats et des Souris, comme quand il se pendait par les pieds, ou qu'il se cachait dans la farine pour faire le mort, qu'il ne désespéra pas d'en être secouru dans sa misère.

Lorsque le chat eut ce qu'il avait demandé, il se botta bravement[2], et mettant son sac à son cou, il en prit les cordons avec ses deux pattes de devant, et s'en alla dans une garenne où il y avait grand nombre de lapins. Il mit du son et des lasserons[3] dans son sac, et s'étendant comme s'il eût été mort, il attendit que quelque jeune lapin, peu instruit encore des ruses de ce monde, vînt se fourrer dans son sac pour manger ce qu'il y avait mis. À peine fut-il couché, qu'il eut contentement ; un jeune étourdi de lapin entra dans son sac et le maître chat tirant aussitôt les cordons le prit et le tua sans miséricorde.

Tout glorieux de sa proie, il s'en alla chez le Roi et demanda à lui parler. On le fit monter à l'Appartement de sa Majesté, où étant entré il fit une grande révérence au Roi, et lui dit : « Voilà, Sire, un Lapin de Garenne que Monsieur le Marquis de Carabas (c'était le nom qu'il lui prit en gré de donner à son Maître) m'a chargé de vous présenter de sa part. — Dis à ton Maître, répondit le Roi, que je le remercie, et qu'il me fait plaisir. »

Une autre fois, il alla se cacher dans un blé[4], tenant

---

1. N'y comptât pas beaucoup.
2. Bien.
3. Laitues sauvages.
4. Champ de blé.

toujours son sac ouvert ; et lorsque deux Perdrix y furent entrées, il tira les cordons, et les prit toutes deux. Il alla ensuite les présenter au Roi, comme il avait fait le Lapin de garenne. Le Roi reçut encore avec plaisir les deux Perdrix, et lui fit donner pour boire[1]. Le chat continua ainsi pendant deux ou trois mois à porter de temps en temps au Roi du Gibier de la chasse de son Maître.

Un jour qu'il sut que le Roi devait aller à la promenade sur le bord de la rivière avec sa fille, la plus belle Princesse du monde, il dit à son Maître : « Si vous voulez suivre mon conseil, votre fortune est faite : vous n'avez qu'à vous baigner dans la rivière à l'endroit que je vous montrerai, et ensuite me laisser faire. » Le Marquis de Carabas fit ce que son chat lui conseillait, sans savoir à quoi cela serait bon. Dans le temps qu'il se baignait, le Roi vint à passer, et le Chat se mit à crier de toute sa force : « Au secours, au secours, voilà Monsieur le Marquis de Carabas qui se noie ! »

À ce cri le Roi mit la tête à la portière, et reconnaissant le Chat qui lui avait apporté tant de fois du Gibier, il ordonna à ses Gardes qu'on allât vite au secours de Monsieur le Marquis de Carabas. Pendant qu'on retirait le pauvre Marquis de la rivière, le Chat s'approcha du Carrosse, et dit au Roi que dans le temps que son Maître se baignait, il était venu des Voleurs qui avaient emporté ses habits, quoiqu'il eût crié au voleur de toute sa force ; le drôle[2] les avait cachés sous une grosse pierre.

---

1. Donner un pourboire.
2. Le dégourdi (vient du néerlandais *troll*, pour « lutin »).

Le Roi ordonna aussitôt aux Officiers de sa Garde-robe d'aller quérir un de ses plus beaux habits pour Monsieur le Marquis de Carabas. Le Roi lui fit mille caresses[1], et comme les beaux habits qu'on venait de lui donner relevaient sa bonne mine (car il était beau, et bien fait de sa personne), la fille du Roi le trouva fort à son gré, et le Comte de Carabas ne lui eut pas jeté deux ou trois regards fort respectueux, et un peu tendres, qu'elle en devint amoureuse à la folie. Le Roi voulut qu'il montât dans son Carrosse, et qu'il fût de la promenade.

Le Chat ravi de voir que son dessein commençait à réussir, prit les devants, et ayant rencontré des Paysans qui fauchaient un Pré, il leur dit : « *Bonnes gens qui fauchez, si vous ne dites au Roi que le pré que vous fauchez appartient à Monsieur le Marquis de Carabas, vous serez tous hachés menu comme chair à pâté.* » Le Roi ne manqua pas à demander aux Faucheux[2] à qui était ce Pré qu'ils fauchaient. « C'est à Monsieur le Marquis de Carabas », dirent-ils tous ensemble, car la menace du Chat leur avait fait peur. « Vous avez là un bel héritage[3], dit le Roi au Marquis de Carabas. — Vous voyez, Sire, répondit le Marquis, c'est un pré qui ne manque point de rapporter abondamment toutes les années. »

Le maître chat, qui allait toujours devant, rencontra des Moissonneurs, et leur dit : « *Bonnes gens qui moissonnez, si vous ne dites pas que tous ces blés*

1. Amitiés.
2. Faucheurs.
3. Beau domaine.

appartiennent à Monsieur le Marquis de Carabas, vous serez tous hachés menu comme chair à pâté. » Le Roi, qui passa un moment après, voulut savoir à qui appartenaient tous les blés qu'il voyait. « C'est à Monsieur le Marquis de Carabas », répondirent les Moissonneurs, et le Roi s'en réjouit encore avec le Marquis. Le Chat, qui allait devant le Carrosse, disait toujours la même chose à tous ceux qu'il rencontrait, et le Roi était étonné des grands biens de Monsieur le Marquis de Carabas.

Le maître Chat arriva enfin dans un beau Château dont le Maître était un Ogre, le plus riche qu'on ait jamais vu, car toutes les terres par où le Roi avait passé étaient de la dépendance de ce Château. Le Chat, qui eut soin de s'informer qui était cet Ogre, et ce qu'il savait faire, demanda à lui parler, disant qu'il n'avait pas voulu passer si près de son Château, sans avoir l'honneur de lui faire la révérence.

L'Ogre le reçut aussi civilement que le peut un Ogre, et le fit reposer. « On m'a assuré, dit le Chat, que vous aviez le don de vous changer en toute sorte d'Animaux, que vous pouviez par exemple vous transformer en Lion, en Éléphant ? — Cela est vrai, répondit l'Ogre brusquement, et pour vous le montrer, vous m'allez voir devenir Lion. » Le Chat fut si effrayé de voir un Lion devant lui, qu'il gagna aussitôt les gouttières, non sans peine et sans péril, à cause de ses bottes qui ne valaient rien pour marcher sur les tuiles.

Quelque temps après, le Chat, ayant vu que l'Ogre avait quitté sa première forme, descendit, et avoua qu'il avait eu bien peur. « On m'a assuré encore, dit le Chat, mais je ne saurais le croire, que vous aviez aussi le pouvoir de prendre la forme des plus petits Animaux, par exemple, de vous changer en un Rat, en une souris ; je vous avoue que je tiens cela tout à fait impossible. — Impossible ? reprit l'Ogre, vous allez voir », et en même temps il se changea en une Souris, qui se mit à courir sur le plancher. Le Chat ne l'eut pas plus tôt aperçue qu'il se jeta dessus, et la mangea.

Cependant le Roi, qui vit en passant le beau Château de l'Ogre, voulut entrer dedans. Le Chat, qui entendit le bruit du Carrosse qui passait sur le pont-levis, courut au-devant, et dit au Roi : « Votre Majesté soit la bienvenue dans le Château de Monsieur le Marquis de Carabas. — Comment, Monsieur le Marquis, s'écria le Roi, ce Château est encore à vous ! il ne se peut rien de plus beau que cette cour et que tous ces Bâtiments qui l'environnent ; voyons les dedans, s'il vous plaît. »

Le Marquis donna la main à la jeune Princesse, et suivant le Roi qui montait le premier, ils entrèrent dans une grande Salle où ils trouvèrent une magnifique collation que l'Ogre avait fait préparer pour ses amis qui le devaient venir voir ce même jour-là, mais qui n'avaient pas osé entrer, sachant que le Roi y était. Le Roi charmé des bonnes qualités de Monsieur le Marquis de Carabas, de même que sa fille qui en était folle, et voyant les grands biens qu'il possédait, lui dit, après avoir bu cinq ou six coups : « Il ne tiendra qu'à vous, Monsieur le Marquis, que vous ne soyez mon gendre. »

Le Marquis, faisant de grandes révérences, accepta l'honneur que lui faisait le Roi ; et dès le même jour épousa la Princesse. Le Chat devint grand Seigneur, et ne courut plus après les souris, que pour se divertir.

MORALITÉ

Quelque grand que soit l'avantage
De jouir d'un riche héritage
Venant à nous de père en fils,
Aux jeunes gens pour l'ordinaire[1]*,*
L'industrie[2] *et le savoir-faire*
Valent mieux que des biens acquis.

AUTRE MORALITÉ

Si le fils d'un Meunier, avec tant de vitesse,
Gagne le cœur d'une Princesse,
Et s'en fait regarder avec des yeux mourants,
C'est que l'habit, la mine et la jeunesse,
Pour inspirer de la tendresse,
N'en sont pas des moyens toujours indifférents.

1. Pour la vie ordinaire, courante.
2. Habileté, ingéniosité.

Les Fées

Il était une fois une veuve qui avait deux filles ; l'aînée lui ressemblait si fort et d'humeur et de visage, que qui la voyait voyait la mère. Elles étaient toutes deux si désagréables et si orgueilleuses qu'on ne pouvait vivre avec elles. La cadette, qui était le vrai portrait de son Père pour la douceur et pour l'honnêteté[1], était avec cela une des plus belles filles qu'on eût su voir. Comme on aime naturellement son semblable, cette mère était folle de sa fille aînée, et en même temps avait une aversion effroyable pour la cadette. Elle la faisait manger à la Cuisine et travailler sans cesse.

Il fallait entre autre chose que cette pauvre enfant allât deux fois le jour puiser de l'eau à une grande demi-lieue du logis, et qu'elle en rapportât plein une grande cruche. Un jour qu'elle était à cette fontaine[2], il vint à elle une pauvre femme qui la pria de lui donner à boire. « Oui-da, ma bonne mère », dit cette belle fille, et rinçant aussitôt sa cruche, elle puisa de

1. Bonne éducation, civilité, politesse.
2. Source.

l'eau au plus bel endroit de la fontaine, et la lui présenta, soutenant toujours la cruche afin qu'elle bût plus aisément. La bonne femme, ayant bu, lui dit: « Vous êtes si belle, si bonne, et si honnête, que je ne puis m'empêcher de vous faire un don (car c'était une Fée qui avait pris la forme d'une pauvre femme de village, pour voir jusqu'où irait l'honnêteté de cette jeune fille). Je vous donne pour don, poursuivit la Fée, qu'à chaque parole que vous direz, il vous sortira de la bouche ou une Fleur, ou une Pierre précieuse. » Lorsque cette belle fille arriva au logis, sa mère la gronda de revenir si tard de la fontaine. « Je vous demande pardon, ma mère, dit cette pauvre fille, d'avoir tardé si longtemps » ; et en disant ces mots, il lui sortit de la bouche deux Roses, deux Perles, et deux gros Diamants. « Que vois-je là ! dit sa mère tout étonnée, je crois qu'il lui sort de la bouche des Perles et des Diamants ; d'où vient cela, ma fille ? » (ce fut là la première fois qu'elle l'appela sa fille). La pauvre enfant lui raconta naïvement tout ce qui lui était arrivé, non sans jeter une infinité de Diamants. « Vraiment, dit la mère, il faut que j'y envoie ma fille ; tenez, Fanchon, voyez ce qui sort de la bouche de votre sœur quand elle parle ; ne seriez-vous pas bien aise d'avoir le même don ? Vous n'avez qu'à aller puiser de l'eau à la fontaine, et quand une pauvre femme vous demandera à boire, lui en donner bien honnêtement. — Il me ferait beau voir, répondit la brutale[1], aller à la fontaine. — Je veux que vous y alliez, reprit la mère, et tout à l'heure. » Elle y alla, mais toujours

1. Grossière, rustre.

en grondant. Elle prit le plus beau Flacon[1] d'argent qui fût dans le logis. Elle ne fut pas plus tôt arrivée à la fontaine qu'elle vit sortir du bois une Dame magnifiquement vêtue qui vint lui demander à boire : c'était la même Fée qui avait apparu à sa sœur, mais qui avait pris l'air et les habits d'une Princesse, pour voir jusqu'où irait la malhonnêteté de cette fille. « Est-ce que je suis ici venue, lui dit cette brutale orgueilleuse, pour vous donner à boire ? Justement j'ai apporté un Flacon d'argent tout exprès pour donner à boire à Madame ! J'en suis d'avis, buvez à même[2] si vous voulez. — Vous n'êtes guère honnête, reprit la Fée, sans se mettre en colère ; hé bien ! puisque vous êtes si peu obligeante, je vous donne pour don qu'à chaque parole que vous direz, il vous sortira de la bouche ou un serpent ou un crapaud. » D'abord que[3] sa mère l'aperçut, elle lui cria : « Hé bien, ma fille ! — Hé bien, ma mère ! lui répondit la brutale, en jetant deux vipères, et deux crapauds. — Ô Ciel ! s'écria la mère, que vois-je là ? C'est sa sœur qui en est cause, elle me le paiera » ; et aussitôt elle courut pour la battre. La pauvre enfant s'enfuit, et alla se sauver[4] dans la Forêt prochaine. Le fils du Roi qui revenait de la chasse la rencontra et la voyant si belle, lui demanda ce qu'elle faisait là toute seule et ce qu'elle avait à pleurer. « Hélas ! Monsieur, c'est ma mère qui m'a chassée du logis. » Le fils du Roi, qui vit sortir de sa bouche cinq ou six Perles, et autant de Diamants, la pria de lui dire d'où cela lui

1. Bouteille qui se ferme.
2. Directement à la source.
3. Dès que.
4. Se réfugier.

venait. Elle lui conta toute son aventure. Le fils du Roi en devint amoureux, et considérant qu'un tel don valait mieux que tout ce qu'on pouvait donner en mariage à une autre, l'emmena au Palais du Roi son père, où il l'épousa. Pour sa sœur, elle se fit tant haïr, que sa propre mère la chassa de chez elle ; et la malheureuse, après avoir bien couru sans trouver personne qui voulût la recevoir, alla mourir au coin d'un bois.

MORALITÉ

Les Diamants et les Pistoles[1],
Peuvent beaucoup sur les Esprits ;
Cependant les douces paroles
Ont encor plus de force, et sont d'un plus grand prix.

AUTRE MORALITÉ

L'honnêteté coûte des soins,
Et veut un peu de complaisance[2],
Mais tôt ou tard elle a sa récompense,
Et souvent dans le temps qu'on y pense le moins.

---

1. Monnaie d'or.
2. L'honnêteté demande des efforts.

Cendrillon
ou
La Petite Pantoufle de verre

Il était une fois un Gentilhomme qui épousa en secondes noces une femme, la plus hautaine et la plus fière qu'on eût jamais vue. Elle avait deux filles de son humeur[1], et qui lui ressemblaient en toutes choses. Le Mari avait de son côté une jeune fille, mais d'une douceur et d'une bonté sans exemple ; elle tenait cela de sa Mère, qui était la meilleure personne du monde.

Les noces ne furent pas plus tôt faites, que la Belle-mère fit éclater sa mauvaise humeur ; elle ne put souffrir les bonnes qualités de cette jeune enfant, qui rendaient ses filles encore plus haïssables. Elle la chargea des plus viles occupations de la Maison : c'était elle qui nettoyait la vaisselle et les montées[2], qui frottait la chambre de Madame, et celles de Mesdemoiselles ses filles ; elle couchait tout au haut de la maison, dans un grenier, sur une méchante paillasse, pendant que ses sœurs étaient dans des chambres parquetées, où elles avaient des lits des plus à la mode, et des

1. De même caractère qu'elle.
2. Petits escaliers.

miroirs où elles se voyaient depuis les pieds jusqu'à la tête.

La pauvre fille souffrait[1] tout avec patience, et n'osait s'en plaindre à son père qui l'aurait grondée, parce que sa femme le gouvernait entièrement. Lorsqu'elle avait fait son ouvrage, elle s'allait mettre au coin de la cheminée, et s'asseoir dans les cendres, ce qui faisait qu'on l'appelait communément dans le logis Cucendron[2]. La cadette, qui n'était pas si malhonnête[3] que son aînée, l'appelait Cendrillon ; cependant Cendrillon, avec ses méchants habits, ne laissait pas d'être cent fois plus belle que ses sœurs, quoique vêtues très magnifiquement.

Il arriva que le fils du Roi donna un bal, et qu'il en pria toutes les personnes de qualité : nos deux Demoiselles en furent aussi priées, car elles faisaient grande figure dans le Pays.

Les voilà bien aises et bien occupées à choisir les habits et les coiffures qui leur siéraient le mieux ; nouvelle peine pour Cendrillon, car c'était elle qui repassait le linge de ses sœurs et qui godronnait[4] leurs manchettes[5]. On ne parlait que de la manière dont on s'habillerait. « Moi, dit l'aînée, je mettrai mon habit de velours rouge et ma garniture d'Angleterre[6]. — Moi, dit la cadette, je n'aurai que ma jupe ordinaire ; mais en récompense[7], je mettrai mon manteau

1. Supportait.
2. Qui a le cul dans les cendres.
3. Sans manières.
4. Plissait.
5. Ornements au bas des manches.
6. En dentelle d'Angleterre.
7. En revanche.

à fleurs d'or, et ma barrière de diamants, qui n'est pas des plus indifférentes[1]. »

On envoya quérir la bonne coiffeuse, pour dresser les cornettes[2] à deux rangs, et on fit acheter des mouches[3] de la bonne Faiseuse : elles appelèrent Cendrillon pour lui demander son avis, car elle avait le goût bon. Cendrillon les conseilla le mieux du monde, et s'offrit même à les coiffer ; ce qu'elles voulurent bien. En les coiffant, elles lui disaient : « Cendrillon, serais-tu bien aise d'aller au Bal ? — Hélas, Mesdemoiselles, vous vous moquez de moi, ce n'est pas là ce qu'il me faut. — Tu as raison, on rirait bien si on voyait un Cucendron aller au Bal. »

Une autre que Cendrillon les aurait coiffées de travers ; mais elle était bonne, et elle les coiffa parfaitement bien. Elles furent près de deux jours sans manger, tant elles étaient transportées de joie. On rompit plus de douze lacets à force de les serrer pour leur rendre la taille plus menue, et elles étaient toujours devant leur miroir.

Enfin l'heureux jour arriva, on partit, et Cendrillon les suivit des yeux le plus longtemps qu'elle put ; lorsqu'elle ne les vit plus, elle se mit à pleurer. Sa Marraine, qui la vit toute en pleurs, lui demanda ce qu'elle avait. « Je voudrais bien... je voudrais bien... » Elle pleurait si fort qu'elle ne put achever. Sa Marraine, qui était Fée, lui dit : « Tu voudrais bien aller au Bal,

---

1. Quelconques.
2. Coiffes en hauteur.
3. Petit morceau de taffetas noir qu'on se collait sur le visage, comme un grain de beauté, pour faire paraître le teint plus blanc.

n'est-ce pas ? — Hélas oui, dit Cendrillon en soupirant. — Hé bien, seras-tu bonne fille ? dit sa Marraine, je t'y ferai aller. »

Elle la mena dans sa chambre, et lui dit : « Va dans le jardin et apporte-moi une citrouille. » Cendrillon alla aussitôt cueillir la plus belle qu'elle put trouver, et la porta à sa Marraine, ne pouvant deviner comment cette citrouille la pourrait faire aller au Bal. Sa Marraine la creusa, et n'ayant laissé que l'écorce, la frappa de sa baguette, et la citrouille fut aussitôt changée en un beau carrosse tout doré.

Ensuite elle alla regarder dans sa souricière, où elle trouva six souris toutes en vie ; elle dit à Cendrillon de lever un peu la trappe de la souricière, et à chaque souris qui sortait, elle lui donnait un coup de sa baguette, et la souris était aussitôt changée en un beau cheval ; ce qui fit un bel attelage de six chevaux, d'un beau gris de souris pommelé[1].

Comme elle était en peine de quoi elle ferait un Cocher : « Je vais voir, dit Cendrillon, s'il n'y a point quelque rat dans la ratière, nous en ferons un Cocher. — Tu as raison, dit sa Marraine, va voir. » Cendrillon lui apporta la ratière, où il y avait trois gros rats. La Fée en prit un d'entre les trois, à cause de sa maîtresse barbe, et l'ayant touché, il fut changé en un gros Cocher, qui avait une des plus belles moustaches qu'on ait jamais vues.

Ensuite elle lui dit : « Va dans le jardin, tu y trouveras six lézards derrière l'arrosoir, apporte-les-moi. » Elle ne les eut pas plus tôt apportés que la Marraine

1. Couvert de taches blanches.

les changea en six Laquais, qui montèrent aussitôt derrière le carrosse avec leurs habits chamarrés, et qui s'y tenaient attachés, comme s'ils n'eussent fait autre chose toute leur vie.

La Fée dit alors à Cendrillon : « Hé bien, voilà de quoi aller au bal, n'es-tu pas bien aise ? — Oui, mais est-ce que j'irai comme cela avec mes vilains habits[1] ? » Sa Marraine ne fit que la toucher avec sa baguette, et en même temps ses habits furent changés en des habits de drap d'or et d'argent tout chamarrés de pierreries ; elle lui donna ensuite une paire de pantoufles de verre, les plus jolies du monde.

Quand elle fut ainsi parée, elle monta en carrosse ; mais sa Marraine lui recommanda sur toutes choses de ne pas passer minuit, l'avertissant que si elle demeurait au Bal un moment davantage, son carrosse redeviendrait citrouille, ses chevaux des souris, ses laquais des lézards, et que ses vieux habits reprendraient leur première forme. Elle promit à sa Marraine qu'elle ne manquerait pas de sortir du Bal avant minuit. Elle part, ne se sentant pas de joie.

Le Fils du Roi, qu'on alla avertir qu'il venait d'arriver une grande Princesse qu'on ne connaissait point, courut la recevoir ; il lui donna la main à la descente du carrosse, et la mena dans la salle où était la compagnie. Il se fit alors un grand silence ; on cessa de danser et les violons ne jouèrent plus, tant on était attentif à contempler les grandes beautés de cette inconnue. On n'entendait qu'un bruit confus : « Ah, qu'elle est belle ! » Le Roi même, tout vieux qu'il

---

1. Habits de paysanne.

était, ne laissait pas de la regarder, et de dire tout bas à la Reine qu'il y avait longtemps qu'il n'avait vu une si belle et si aimable personne. Toutes les Dames étaient attentives à considérer sa coiffure et ses habits, pour en avoir dès le lendemain de semblables, pourvu qu'il se trouvât des étoffes assez belles, et des ouvriers assez habiles.

Le Fils du Roi la mit à la place la plus honorable, et ensuite la prit pour la mener danser. Elle dansa avec tant de grâce, qu'on l'admira encore davantage. On apporta une fort belle collation, dont le jeune Prince ne mangea point, tant il était occupé à la considérer. Elle alla s'asseoir auprès de ses sœurs, et leur fit mille honnêtetés[1] : elle leur fit part[2] des oranges et des citrons[3] que le Prince lui avait donnés, ce qui les étonna fort, car elles ne la connaissaient point.

Lorsqu'elles causaient ainsi, Cendrillon entendit sonner onze heures trois quarts : elle fit aussitôt une grande révérence à la compagnie, et s'en alla le plus vite qu'elle put. Dès qu'elle fut arrivée, elle alla trouver sa Marraine, et après l'avoir remerciée, elle lui dit qu'elle souhaiterait bien aller encore le lendemain au Bal, parce que le Fils du Roi l'en avait priée.

Comme elle était occupée à raconter à sa Marraine tout ce qui s'était passé au Bal, les deux sœurs heurtèrent à la porte ; Cendrillon leur alla ouvrir. « Que vous êtes longtemps à revenir ! » leur dit-elle

---

1. Mille amabilités.
2. Elle partagea.
3. Les oranges et les citrons sont rares à l'époque.

en bâillant, en se frottant les yeux, et en s'étendant comme si elle n'eût fait que de[1] se réveiller ; elle n'avait cependant pas eu envie de dormir depuis qu'elles s'étaient quittées. « Si tu étais venue au Bal, lui dit une de ses sœurs, tu ne t'y serais pas ennuyée : il y est venu la plus belle Princesse, la plus belle qu'on puisse jamais voir ; elle nous a fait mille civilités, elle nous a donné des oranges et des citrons. »

Cendrillon ne se sentait pas de joie : elle leur demanda le nom de cette Princesse ; mais elles lui répondirent qu'on ne la connaissait pas, que le Fils du Roi en était fort en peine, et qu'il donnerait toutes choses au monde pour savoir qui elle était. Cendrillon sourit et leur dit : « Elle était donc bien belle ? Mon Dieu, que vous êtes heureuses, ne pourrais-je point la voir ? Hélas ! Mademoiselle Javotte, prêtez-moi votre habit jaune que vous mettez tous les jours. — Vraiment, dit Mademoiselle Javotte, je suis de cet avis ! Prêter votre habit à un vilain Cucendron comme cela : il faudrait que je fusse bien folle. » Cendrillon s'attendait bien à ce refus, et elle en fut bien aise, car elle aurait été grandement embarrassée si sa sœur eût bien voulu lui prêter son habit.

Le lendemain les deux sœurs furent au Bal, et Cendrillon aussi, mais encore plus parée que la première fois. Le Fils du Roi fut toujours auprès d'elle, et ne cessa de lui conter des douceurs ; la jeune Demoiselle ne s'ennuyait point, et oublia ce que sa Marraine lui avait recommandé ; de sorte qu'elle entendit sonner le premier coup de minuit, lorsqu'elle ne croyait

---

1. Comme si elle venait tout juste de.

pas qu'il fût encore onze heures : elle se leva et s'enfuit aussi légèrement qu'aurait fait une biche.

Le Prince la suivit, mais il ne put l'attraper ; elle laissa tomber une de ses pantoufles de verre, que le Prince ramassa bien soigneusement. Cendrillon arriva chez elle bien essoufflée, sans carrosse, sans laquais, et avec ses méchants habits, rien ne lui étant resté de toute sa magnificence qu'une de ses petites pantoufles, la pareille de celle qu'elle avait laissé tomber. On demanda aux Gardes de la porte du Palais s'ils n'avaient point vu sortir une Princesse ; ils dirent qu'ils n'avaient vu sortir personne, qu'une jeune fille fort mal vêtue, et qui avait plus l'air d'une Paysanne que d'une Demoiselle.

Quand ses deux sœurs revinrent du Bal, Cendrillon leur demanda si elles s'étaient encore bien diverties, et si la belle Dame y avait été ; elles lui dirent que oui, mais qu'elle s'était enfuie lorsque minuit avait sonné, et si promptement qu'elle avait laissé tomber une de ses petites pantoufles de verre, la plus jolie du monde ; que le fils du Roi l'avait ramassée, et qu'il n'avait fait que la regarder pendant tout le reste du Bal, et qu'assurément il était fort amoureux de la belle personne à qui appartenait la petite pantoufle.

Elles dirent vrai, car peu de jours après, le fils du Roi fit publier à son de trompe qu'il épouserait celle dont le pied serait bien juste à la pantoufle. On commença à l'essayer aux Princesses, ensuite aux Duchesses, et à toute la Cour, mais inutilement. On l'apporta chez les deux sœurs, qui firent tout leur possible pour faire entrer leur pied dans la pantoufle, mais elles ne purent en venir à bout. Cendrillon qui les regardait, et qui reconnut sa pantoufle, dit en riant : « Que je voie si elle ne me serait pas bonne[1] ! » Ses sœurs se mirent à rire et à se moquer d'elle.

Le Gentilhomme qui faisait l'essai de la pantoufle, ayant regardé attentivement Cendrillon, et la trouvant fort belle, dit que cela était juste, et qu'il avait ordre de l'essayer à toutes les filles. Il fit asseoir Cendrillon, et approchant la pantoufle de son petit pied, il vit qu'elle y entrait sans peine, et qu'elle y était juste comme de cire[2]. L'étonnement des deux sœurs fut grand, mais plus grand encore quand Cendrillon tira de sa poche l'autre petite pantoufle qu'elle mit à son pied. Là-dessus arriva la Marraine, qui ayant donné un coup de sa baguette sur les habits de Cendrillon, les fit devenir encore plus magnifiques que tous les autres.

Alors ses deux sœurs la reconnurent pour la belle personne qu'elles avaient vue au Bal. Elles se jetèrent à ses pieds pour lui demander pardon de tous les mauvais traitements qu'elles lui avaient fait souffrir. Cendrillon les releva, et leur dit, en les embrassant, qu'elle leur pardonnait de bon cœur, et qu'elle les priait de l'aimer bien toujours. On la mena chez le jeune Prince, parée comme elle était : il la trouva encore plus belle que jamais, et peu de jours après, il l'épousa. Cendrillon, qui était aussi bonne que belle, fit loger ses deux sœurs au Palais, et les maria dès le jour même à deux grands Seigneurs de la Cour.

---

1. Que je voie si elle ne m'allait pas !
2. Qu'elle était sur mesure, comme si elle avait été moulée dans de la cire.

MORALITÉ

La beauté pour le sexe est un rare trésor,
De l'admirer jamais on ne se lasse ;
Mais ce qu'on nomme bonne grâce
Est sans prix, et vaut mieux encor.

C'est ce qu'à Cendrillon fit avoir sa Marraine,
En la dressant[1]*, en l'instruisant,*
Tant et si bien qu'elle en fit une Reine :
(Car ainsi sur ce Conte on va moralisant.)

Belles, ce don vaut mieux que d'être bien coiffées,
Pour engager un cœur, pour en venir à bout,
La bonne grâce est le vrai don des Fées ;
Sans elle on ne peut rien, avec elle, on peut tout.

AUTRE MORALITÉ

C'est sans doute un grand avantage,
D'avoir de l'esprit, du courage,
De la naissance, du bon sens,
Et d'autres semblables talents,
Qu'on reçoit du Ciel en partage ;
Mais vous aurez beau les avoir,
Pour votre avancement ce seront choses vaines,
Si vous n'avez, pour les faire valoir,
Ou des parrains ou des marraines.

1. En l'éduquant.

Riquet à la houppe

Il était une fois une Reine qui accoucha d'un fils, si laid et si mal fait, qu'on douta longtemps s'il avait forme humaine. Une Fée qui se trouva à sa naissance assura qu'il ne laisserait pas d'être aimable, parce qu'il aurait beaucoup d'esprit ; elle ajouta même qu'il pourrait, en vertu du don qu'elle venait de lui faire, donner autant d'esprit qu'il en aurait à la personne qu'il aimerait le mieux.

Tout cela consola un peu la pauvre Reine, qui était bien affligée d'avoir mis au monde un si vilain marmot. Il est vrai que cet enfant ne commença pas plus tôt à parler qu'il dit mille jolies choses, et qu'il avait dans toutes ses actions je ne sais quoi de si spirituel [1], qu'on en était charmé. J'oubliais de dire qu'il vint au monde avec une petite houppe de cheveux sur la tête, ce qui fit qu'on le nomma Riquet à la houppe, car Riquet était le nom de la famille.

Au bout de sept ou huit ans la Reine d'un Royaume voisin accoucha de deux filles. La première qui vint au monde était plus belle que le jour : la Reine en fut si

---

1. Plein d'esprit.

aise, qu'on appréhenda que la trop grande joie qu'elle en avait ne lui fît mal. La même Fée qui avait assisté à la naissance du petit Riquet à la houppe était présente, et pour modérer la joie de la Reine, elle lui déclara que cette petite Princesse n'aurait point d'esprit, et qu'elle serait aussi stupide qu'elle était belle.

Cela mortifia[1] beaucoup la Reine ; mais elle eut quelques moments après un bien plus grand chagrin, car la seconde fille dont elle accoucha se trouva extrêmement laide. « Ne vous affligez point tant, Madame, lui dit la Fée ; votre fille sera récompensée d'ailleurs[2], et elle aura tant d'esprit, qu'on ne s'apercevra presque pas qu'il lui manque de la beauté. — Dieu le veuille, répondit la Reine, mais n'y aurait-il point moyen de faire avoir un peu d'esprit à l'aînée qui est si belle ? — Je ne puis rien pour elle, Madame, du côté de l'esprit, lui dit la Fée, mais je puis tout du côté de la beauté ; et comme il n'y a rien que je ne veuille faire pour votre satisfaction, je vais lui donner pour don de pouvoir rendre beau ou belle la personne qui lui plaira. »

À mesure que ces deux Princesses devinrent grandes, leurs perfections crûrent aussi avec elles, et on ne parlait partout que de la beauté de l'aînée, et de l'esprit de la cadette. Il est vrai aussi que leurs défauts augmentèrent beaucoup avec l'âge. La cadette enlaidissait à vue d'œil, et l'aînée devenait plus stupide de jour en jour. Ou elle ne répondait rien à ce qu'on lui demandait, ou elle disait une sottise. Elle

1. Fit souffrir.
2. Autrement.

était avec cela si maladroite qu'elle n'eût pu ranger quatre Porcelaines sur le bord d'une cheminée sans en casser une, ni boire un verre d'eau sans en répandre la moitié sur ses habits.

Quoique la beauté soit un grand avantage dans une jeune personne, cependant la cadette l'emportait presque toujours sur son aînée dans toutes les Compagnies[1]. D'abord on allait du côté de la plus belle pour la voir et pour l'admirer, mais bientôt après, on allait à celle qui avait le plus d'esprit, pour lui entendre dire mille choses agréables ; et on était étonné qu'en moins d'un quart d'heure l'aînée n'avait plus personne auprès d'elle, et que tout le monde s'était rangé autour de la cadette. L'aînée, quoique fort stupide, le remarqua bien, et elle eût donné sans regret toute sa beauté pour avoir la moitié de l'esprit de sa sœur. La Reine, toute sage qu'elle était, ne put s'empêcher de lui reprocher plusieurs fois sa bêtise, ce qui pensa faire mourir de douleur cette pauvre Princesse.

Un jour qu'elle s'était retirée dans un bois pour y plaindre son malheur, elle vit venir à elle un petit homme fort laid et fort désagréable, mais vêtu très magnifiquement. C'était le jeune Prince Riquet à la houppe, qui étant devenu amoureux d'elle sur ses Portraits qui couraient par tout le monde, avait quitté le Royaume de son père pour avoir le plaisir de la voir et de lui parler.

Ravi de la rencontrer ainsi toute seule, il l'aborde avec tout le respect et toute la politesse imaginable. Ayant remarqué, après lui avoir fait les compliments

1. Réunions.

ordinaires, qu'elle était fort mélancolique, il lui dit: «Je ne comprends point, Madame, comment une personne aussi belle que vous l'êtes peut être aussi triste que vous le paraissez; car, quoique je puisse me vanter d'avoir vu une infinité de belles personnes, je puis dire que je n'en ai jamais vu dont la beauté approche de la vôtre. — Cela vous plaît à dire, Monsieur», lui répondit la Princesse, et en demeure là. «La beauté, reprit Riquet à la houppe, est un si grand avantage qu'il doit tenir lieu de tout le reste; et quand on le possède, je ne vois pas qu'il y ait rien qui puisse nous affliger beaucoup. — J'aimerais mieux, dit la Princesse, être aussi laide que vous et avoir de l'esprit, que d'avoir de la beauté comme j'en ai, et être bête autant que je le suis. — Il n'y a rien, Madame, qui marque davantage qu'on a de l'esprit, que de croire n'en pas avoir, et il est de la nature de ce bien-là, que plus on en a, plus on croit en manquer. — Je ne sais pas cela, dit la Princesse, mais je sais bien que je suis fort bête, et c'est de là que vient le chagrin qui me tue. — Si ce n'est que cela, Madame, qui vous afflige, je puis aisément mettre fin à votre douleur. — Et comment ferez-vous? dit la Princesse. — J'ai le pouvoir, Madame, dit Riquet à la houppe, de donner de l'esprit autant qu'on en saurait avoir à la personne que je dois aimer le plus, et comme vous êtes, Madame, cette personne, il ne tiendra qu'à vous que vous n'ayez autant d'esprit qu'on en peut avoir, pourvu que vous vouliez bien m'épouser.»

La Princesse demeura tout interdite, et ne répondit rien. «Je vois, reprit Riquet à la houppe, que cette proposition vous fait de la peine, et je ne m'en étonne pas ; mais je vous donne un an tout entier pour vous y résoudre. » La Princesse avait si peu d'esprit, et en même temps une si grande envie d'en avoir, qu'elle s'imagina que la fin de cette année ne viendrait jamais ; de sorte qu'elle accepta la proposition qui lui était faite.

Elle n'eut pas plus tôt promis à Riquet à la houppe qu'elle l'épouserait dans un an à pareil jour, qu'elle se sentit tout autre qu'elle n'était auparavant ; elle se trouva une facilité incroyable à dire tout ce qui lui plaisait, et à le dire d'une manière fine, aisée et naturelle. Elle commença dès ce moment une conversation galante et soutenue avec Riquet à la houppe, où elle brilla d'une telle force que Riquet à la houppe crut lui avoir donné plus d'esprit qu'il ne s'en était réservé pour lui-même.

Quand elle fut retournée au Palais, toute la Cour ne savait que penser d'un changement si subit et si extraordinaire, car autant qu'on lui avait ouï dire d'impertinences [1] auparavant, autant lui entendait-on dire des choses bien sensées et infiniment spirituelles. Toute la Cour en eut une joie qui ne se peut imaginer ; il n'y eut que sa cadette qui n'en fut pas bien aise, parce que n'ayant plus sur son aînée l'avantage de l'esprit, elle ne paraissait plus auprès d'elle qu'une Guenon fort désagréable. Le Roi se conduisait par ses avis [2], et allait même quelquefois tenir le Conseil dans son Appartement.

Le bruit de ce changement s'étant répandu, tous

---

1. Sottises.
2. Le Roi suivait ses conseils.

les jeunes Princes des Royaumes voisins firent leurs efforts pour s'en faire aimer, et presque tous la demandèrent en Mariage ; mais elle n'en trouvait point qui eût assez d'esprit, et elle les écoutait tous sans s'engager à pas un d'eux[1]. Cependant il en vint un si puissant, si riche, si spirituel et si bien fait, qu'elle ne put s'empêcher d'avoir de la bonne volonté pour lui. Son père s'en étant aperçu lui dit qu'il la faisait la maîtresse sur le choix d'un Époux, et qu'elle n'avait qu'à se déclarer. Comme plus on a d'esprit et plus on a de peine à prendre une ferme résolution sur cette affaire, elle demanda, après avoir remercié son père, qu'il lui donnât du temps pour y penser.

Elle alla par hasard se promener dans le même bois où elle avait trouvé Riquet à la houppe, pour rêver[2] plus commodément à ce qu'elle avait à faire. Dans le temps qu'elle se promenait, rêvant profondément, elle entendit un bruit sourd sous ses pieds, comme de plusieurs personnes qui vont et viennent et qui agissent. Ayant prêté l'oreille plus attentivement, elle ouït que l'un disait : « Apporte-moi cette marmite » ; l'autre : « Donne-moi cette chaudière[3] », l'autre : « Mets du bois dans ce feu. » La terre s'ouvrit dans le même temps, et elle vit sous ses pieds comme une grande Cuisine pleine de Cuisiniers, de Marmitons et de toutes sortes d'Officiers[4] nécessaires pour faire un festin magnifique. Il en sortit une bande de vingt

---

1. Sans en épouser aucun.
2. Songer, penser.
3. Récipient pour faire cuire les aliments.
4. Cuisiniers et sommeliers.

ou trente Rôtisseurs, qui allèrent se camper[1] dans une allée du bois autour d'une table fort longue, et qui tous, la lardoire[2] à la main, et la queue de Renard[3] sur l'oreille, se mirent à travailler en cadence au son d'une Chanson harmonieuse.

La Princesse, étonnée de ce spectacle, leur demanda pour qui ils travaillaient. « C'est, Madame, lui répondit le plus apparent de la bande, pour le Prince Riquet à la houppe, dont les noces se feront demain. » La Princesse encore plus surprise qu'elle ne l'avait été, et se ressouvenant tout à coup qu'il y avait un an qu'à pareil jour elle avait promis d'épouser le Prince Riquet à la houppe, elle pensa tomber de son haut. Ce qui faisait qu'elle ne s'en souvenait pas, c'est que, quand elle fit cette promesse, elle était une bête[4], et qu'en prenant le nouvel esprit que le Prince lui avait donné, elle avait oublié toutes ses sottises.

Elle n'eut pas fait trente pas en continuant sa promenade, que Riquet à la houppe se présenta à elle, brave[5], magnifique, et comme un Prince qui va se marier. « Vous me voyez, dit-il, Madame, exact à tenir ma parole, et je ne doute point que vous ne veniez ici pour exécuter la vôtre, et me rendre, en me donnant la main[6], le plus heureux de tous les hommes. — Je vous avouerai franchement, répondit la Princesse, que je n'ai pas encore pris ma résolution là-dessus, et

1. Se placer.
2. Ustensile servant à larder la viande.
3. Bonnet à queue porté par les cuisiniers des grandes maisons.
4. Elle était stupide.
5. Élégant.
6. En me donnant votre main.

que je ne crois pas pouvoir jamais la prendre telle que vous la souhaitez. — Vous m'étonnez, Madame, lui dit Riquet à la houppe. — Je le crois, dit la Princesse, et assurément si j'avais affaire à un brutal, à un homme sans esprit, je me trouverais bien embarrassée. Une Princesse n'a que sa parole, me dirait-il, et il faut que vous m'épousiez, puisque vous me l'avez promis ; mais comme celui à qui je parle est l'homme du monde qui a le plus d'esprit, je suis sûre qu'il entendra raison. Vous savez que, quand je n'étais qu'une bête, je ne pouvais néanmoins me résoudre à vous épouser ; comment voulez-vous qu'ayant l'esprit que vous m'avez donné, qui me rend encore plus difficile en gens que je n'étais, je prenne aujourd'hui une résolution que je n'ai pu prendre dans ce temps-là ? Si vous pensiez tout de bon à m'épouser, vous avez eu grand tort de m'ôter ma bêtise, et de me faire voir plus clair que je ne voyais. — Si un homme sans esprit, répondit Riquet à la houppe, serait bien reçu[1], comme vous venez de le dire, à vous reprocher votre manque de parole, pourquoi voulez-vous, Madame, que je n'en use pas de même, dans une chose où il y va de tout le bonheur de ma vie ? Est-il raisonnable que les personnes qui ont de l'esprit soient d'une pire condition que ceux qui n'en ont pas ? Le pouvez-vous prétendre, vous qui en avez tant, et qui avez tant souhaité d'en avoir ? Mais venons au fait, s'il vous plaît. À la réserve de[2] ma laideur, y a-t-il quelque chose en moi qui vous déplaise ? Êtes-vous mal contente de ma

1. Serait approuvé de.
2. Exception faite de.

naissance, de mon esprit, de mon humeur, et de mes manières ? — Nullement, répondit la Princesse, j'aime en vous tout ce que vous venez de me dire. — Si cela est ainsi, reprit Riquet à la houppe, je vais être heureux, puisque vous pouvez me rendre le plus aimable de tous les hommes. — Comment cela se peut-il faire ? lui dit la Princesse. — Cela se fera, répondit Riquet à la houppe, si vous m'aimez assez pour souhaiter que cela soit ; et afin, Madame, que vous n'en doutiez pas, sachez que la même Fée qui au jour de ma naissance me fit le don de pouvoir rendre spirituelle la personne qu'il me plairait, vous a aussi fait le don de pouvoir rendre beau celui que vous aimerez, et à qui vous voudrez bien faire cette faveur. — Si la chose est ainsi, dit la Princesse, je souhaite de tout mon cœur que vous deveniez le Prince du monde le plus beau et le plus aimable ; et je vous en fais le don autant qu'il est en moi. »

La Princesse n'eut pas plus tôt prononcé ces paroles, que Riquet à la houppe parut à ses yeux l'homme du monde le plus beau, le mieux fait et le plus aimable qu'elle eût jamais vu.

Quelques-uns assurent que ce ne furent point les charmes de la Fée qui opérèrent, mais que l'amour seul fit cette Métamorphose. Ils disent que la Princesse ayant fait réflexion sur la persévérance de son Amant, sur sa discrétion[1], et sur toutes les bonnes qualités de son âme et de son esprit, ne vit plus la difformité de son corps, ni la laideur de son visage, que sa bosse ne lui sembla plus que le bon air d'un

1. Intelligence.

homme qui fait le gros dos et qu'au lieu que jusqu'alors elle l'avait vu boiter effroyablement, elle ne lui trouva plus qu'un certain air penché[1] qui la charmait ; ils disent encore que ses yeux, qui étaient louches, ne lui en parurent que plus brillants, que leur dérèglement passa dans son esprit pour la marque d'un violent excès d'amour, et qu'enfin son gros nez rouge eut pour elle quelque chose de Martial et d'Héroïque.

Quoi qu'il en soit, la Princesse lui promit sur-le-champ de l'épouser, pourvu qu'il en obtînt le consentement du Roi son Père. Le Roi ayant su que sa fille avait beaucoup d'estime pour Riquet à la houppe, qu'il connaissait d'ailleurs pour un Prince très spirituel et très sage, le reçut avec plaisir pour son gendre. Dès le lendemain les noces furent faites, ainsi que Riquet à la houppe l'avait prévu, et selon les ordres qu'il en avait donnés longtemps auparavant.

MORALITÉ

Ce que l'on voit dans cet écrit,
Est moins un conte en l'air que la vérité même ;
Tout est beau dans ce que l'on aime,
Tout ce qu'on aime a de l'esprit.

1. Un certain air malade.

AUTRE MORALITÉ

Dans un objet où la Nature,
Aura mis de beaux traits, et la vive peinture
D'un teint où jamais l'Art ne saurait arriver,
Tous ces dons pourront moins pour rendre un cœur
[sensible,
Qu'un seul agrément invisible
Que l'Amour y fera trouver.

Le Petit Poucet

Il était une fois un Bûcheron et une Bûcheronne qui avaient sept enfants tous Garçons. L'aîné n'avait que dix ans, et le plus jeune n'en avait que sept. On s'étonnera que le Bûcheron ait eu tant d'enfants en si peu de temps ; mais c'est que sa femme allait vite en besogne, et n'en faisait pas moins que deux à la fois.

Ils étaient fort pauvres, et leurs sept enfants les incommodaient beaucoup, parce que aucun d'eux ne pouvait encore gagner sa vie. Ce qui les chagrinait encore, c'est que le plus jeune était fort délicat et ne disait mot : prenant pour bêtise ce qui était une marque de la bonté de son esprit. Il était fort petit, et quand il vint au monde, il n'était guère plus gros que le pouce, ce qui fit que l'on l'appela le petit Poucet. Ce pauvre enfant était le souffre-douleur de la maison, et on lui donnait toujours le tort. Cependant il était le plus fin, et le plus avisé de tous ses frères, et s'il parlait peu, il écoutait beaucoup.

Il vint une année très fâcheuse, et la famine fut si grande, que ces pauvres gens résolurent de se défaire de leurs enfants. Un soir que ces enfants étaient couchés, et que le Bûcheron était auprès du feu avec sa femme, il lui dit, le cœur serré de douleur : « Tu vois bien que nous ne pouvons plus nourrir nos enfants ; je ne saurais les voir mourir de faim devant mes yeux, et je suis résolu de les mener perdre demain au bois, ce qui sera bien aisé, car tandis qu'ils s'amuseront à fagoter[1], nous n'avons qu'à nous enfuir sans qu'ils nous voient. — Ah ! s'écria la Bûcheronne, pourrais-tu bien toi-même mener perdre tes enfants ? » Son mari avait beau lui représenter leur grande pauvreté, elle ne pouvait y consentir ; elle était pauvre, mais elle était leur mère. Cependant ayant considéré quelle douleur ce lui serait de les voir mourir de faim, elle y consentit, et alla se coucher en pleurant.

Le petit Poucet ouït tout ce qu'ils dirent, car ayant entendu de dedans son lit qu'ils parlaient d'affaires, il s'était levé doucement, et s'était glissé sous l'escabelle[2] de son père pour les écouter sans être vu. Il alla se recoucher et ne dormit point le reste de la nuit, songeant à ce qu'il avait à faire. Il se leva de bon matin, et alla au bord d'un ruisseau où il emplit ses poches de petits cailloux blancs, et ensuite revint à la maison.

On partit, et le petit Poucet ne découvrit rien de tout ce qu'il savait à ses frères. Ils allèrent dans une forêt fort épaisse, où à dix pas de distance on ne se voyait pas l'un l'autre. Le Bûcheron se mit à couper du bois et ses enfants à ramasser les broutilles[3] pour faire des fagots. Le père et la mère, les voyant occupés à travailler, s'éloignèrent d'eux insensible-

1. À faire des fagots.
2. Escabeau.
3. Petites branches.

ment, et puis s'enfuirent tout à coup par un petit sentier détourné.

Lorsque ces enfants se virent seuls, ils se mirent à crier et à pleurer de toute leur force. Le petit Poucet les laissait crier, sachant bien par où il reviendrait à la maison ; car en marchant il avait laissé tomber le long du chemin les petits cailloux blancs qu'il avait dans ses poches. Il leur dit donc : « Ne craignez point, mes frères ; mon Père et ma Mère nous ont laissés ici, mais je vous ramènerai bien au logis, suivez-moi seulement. » Ils le suivirent, et il les mena jusqu'à leur maison par le même chemin qu'ils étaient venus dans la forêt. Ils n'osèrent d'abord entrer, mais ils se mirent tous contre la porte pour écouter ce que disaient leur Père et leur Mère.

Dans le moment que le Bûcheron et la Bûcheronne arrivèrent chez eux, le Seigneur du Village leur envoya dix écus qu'il leur devait il y avait longtemps, et dont ils n'espéraient plus rien. Cela leur redonna la vie, car les pauvres gens mouraient de faim. Le Bûcheron envoya sur l'heure sa femme à la Boucherie. Comme il y avait longtemps qu'elle n'avait mangé, elle acheta trois fois plus de viande qu'il n'en fallait pour le souper de deux personnes. Lorsqu'ils furent rassasiés, la Bûcheronne dit : « Hélas ! où sont maintenant nos pauvres enfants ? Ils feraient bonne chère de ce qui nous reste là. Mais aussi, Guillaume, c'est toi qui les as voulu perdre ; j'avais bien dit que nous nous en repentirions. Que font-ils maintenant dans cette Forêt ? Hélas ! mon Dieu, les Loups les ont peut-être déjà mangés ! Tu es bien inhumain d'avoir perdu ainsi tes enfants. »

Le Bûcheron s'impatienta à la fin, car elle redit plus de vingt fois qu'ils s'en repentiraient et qu'elle l'avait bien dit. Il la menaça de la battre si elle ne se taisait. Ce n'est pas que le Bûcheron ne fût peut-être encore plus fâché[1] que sa femme, mais c'est qu'elle lui rompait la tête, et qu'il était de l'humeur de beaucoup d'autres gens, qui aiment fort les femmes qui disent bien, mais qui trouvent très importunes celles qui ont toujours bien dit.

La Bûcheronne était toute en pleurs : « Hélas ! où sont maintenant mes enfants, mes pauvres enfants ? » Elle le dit une fois si haut que les enfants qui étaient à la porte, l'ayant entendu, se mirent à crier tous ensemble : « Nous voilà, nous voilà. » Elle courut vite leur ouvrir la porte, et leur dit en les embrassant : « Que je suis aise de vous revoir, mes chers enfants ! Vous êtes bien las, et vous avez bien faim ; et toi Pierrot, comme te voilà crotté, viens que je te débarbouille. » Ce Pierrot était son fils aîné qu'elle aimait plus que tous les autres, parce qu'il était un peu rousseau[2] et qu'elle était un peu rousse.

Ils se mirent à Table, et mangèrent d'un appétit qui faisait plaisir au Père et à la Mère, à qui ils racontaient la peur qu'ils avaient eue dans la Forêt en parlant presque toujours tous ensemble. Ces bonnes gens étaient ravis de revoir leurs enfants avec eux, et cette joie dura tant que les dix écus durèrent.

Mais lorsque l'argent fut dépensé, ils retombèrent dans leur premier chagrin, et résolurent de les perdre

1. Chagriné.
2. Rouquin.

encore, et pour ne pas manquer leur coup, de les mener bien plus loin que la première fois. Ils ne purent parler de cela si secrètement qu'ils ne fussent entendus par le petit Poucet, qui fit son compte de sortir d'affaire comme il avait déjà fait ; mais quoiqu'il se fût levé de bon matin pour aller ramasser des petits cailloux, il ne put en venir à bout, car il trouva la porte de la maison fermée à double tour. Il ne savait que faire, lorsque la Bûcheronne leur ayant donné à chacun un morceau de pain pour leur déjeuner, il songea qu'il pourrait se servir de son pain au lieu de cailloux en le jetant par miettes le long des chemins où ils passeraient ; il le serra donc dans sa poche.

Le Père et la Mère les menèrent dans l'endroit de la Forêt le plus épais et le plus obscur, et dès qu'ils y furent, ils gagnèrent un faux-fuyant[1] et les laissèrent là. Le petit Poucet ne s'en chagrina pas beaucoup, parce qu'il croyait retrouver aisément son chemin par le moyen de son pain qu'il avait semé partout où il avait passé ; mais il fut bien surpris lorsqu'il ne put en retrouver une seule miette, les Oiseaux étaient venus qui avaient tout mangé. Les voilà donc bien affligés, car plus ils marchaient, plus ils s'égaraient et s'enfonçaient dans la Forêt.

La nuit vint, et il s'éleva un grand vent qui leur faisait des peurs épouvantables. Ils croyaient n'entendre de tous côtés que des hurlements de Loups qui venaient à eux pour les manger. Ils n'osaient presque se parler ni tourner la tête. Il survint une grosse pluie

1. Un sentier détourné.

qui les perça jusqu'aux os; ils glissaient à chaque pas et tombaient dans la boue, d'où ils se relevaient tout crottés, ne sachant que faire de leurs mains.

Le petit Poucet grimpa au haut d'un Arbre pour voir s'il ne découvrirait rien; ayant tourné la tête de tous côtés, il vit une petite lueur comme d'une chandelle, mais qui était bien loin par-delà la Forêt. Il descendit de l'arbre, et lorsqu'il fut à terre, il ne vit plus rien; cela le désola. Cependant, ayant marché quelque temps avec ses frères du côté qu'il avait vu la lumière, il la revit en sortant du Bois. Ils arrivèrent enfin à la maison où était cette chandelle, non sans bien des frayeurs, car souvent ils la perdaient de vue, ce qui leur arrivait toutes les fois qu'ils descendaient dans quelques fonds. Ils heurtèrent à la porte, et une bonne femme vint leur ouvrir. Elle leur demanda ce qu'ils voulaient; le petit Poucet lui dit qu'ils étaient de pauvres enfants qui s'étaient perdus dans la Forêt, et qui demandaient à coucher par charité.

Cette femme les voyant tous si jolis se mit à pleurer, et leur dit: «Hélas! mes pauvres enfants, où êtes-vous venus? Savez-vous bien que c'est ici la maison d'un Ogre qui mange les petits enfants? — Hélas! Madame, lui répondit le petit Poucet, qui tremblait de toute sa force aussi bien que ses frères, que ferons-nous? Il est bien sûr que les Loups de la Forêt ne manqueront pas de nous manger cette nuit, si vous ne voulez pas nous retirer[1] chez vous. Et cela étant, nous aimons mieux que ce soit Monsieur qui nous

1. Nous mettre à l'abri.

mange ; peut-être qu'il aura pitié de nous, si vous voulez bien l'en prier. »

La femme de l'Ogre qui crut qu'elle pourrait les cacher à son mari jusqu'au lendemain matin, les laissa entrer et les mena se chauffer auprès d'un bon feu ; car il y avait un Mouton tout entier à la broche pour le souper de l'Ogre. Comme ils commençaient à se chauffer, ils entendirent heurter trois ou quatre grands coups à la porte : c'était l'Ogre qui revenait. Aussitôt sa femme les fit cacher sous le lit et alla ouvrir la porte.

L'Ogre demanda d'abord si le souper était prêt, et si on avait tiré du vin, et aussitôt se mit à table. Le Mouton était encore tout sanglant, mais il ne lui en sembla que meilleur. Il fleurait[1] à droite et à gauche, disant qu'il sentait la chair fraîche. « Il faut, lui dit sa femme, que ce soit ce Veau que je viens d'habiller que vous sentez. — Je sens la chair fraîche, te dis-je encore une fois, reprit l'Ogre, en regardant sa femme de travers, et il y a ici quelque chose que je n'entends pas[2]. » En disant ces mots, il se leva de Table, et alla droit au lit. « Ah, dit-il, voilà donc comme tu veux me tromper, maudite femme ! Je ne sais à quoi il tient que je ne te mange aussi ; bien t'en prend d'être une vieille bête. Voilà du Gibier qui me vient bien à propos pour traiter[3] trois Ogres de mes amis qui doivent me venir voir ces jours ici[4]. »

Il les tira de dessous le lit l'un après l'autre. Ces

---

1. Il flairait.
2. Que je ne comprends pas.
3. Recevoir.
4. Ces jours-ci.

pauvres enfants se mirent à genoux en lui demandant pardon; mais ils avaient à faire au plus cruel de tous les Ogres, qui bien loin d'avoir de la pitié les dévorait déjà des yeux, et disait à sa femme que ce serait là de friands morceaux lorsqu'elle leur aurait fait une bonne sauce. Il alla prendre un grand Couteau, et en approchant de ces pauvres enfants, il l'aiguisait sur une longue pierre qu'il tenait à sa main gauche. Il en avait déjà empoigné un, lorsque sa femme lui dit: « Que voulez-vous faire à l'heure qu'il est? n'aurez-vous pas assez de temps demain matin? — Tais-toi, reprit l'Ogre, ils en seront plus mortifiés[1]. — Mais vous avez encore là tant de viande, reprit sa femme; voilà un Veau, deux Moutons et la moitié d'un Cochon! — Tu as raison, dit l'Ogre; donne-leur bien à souper, afin qu'ils ne maigrissent pas, et va les mener coucher. »

La bonne femme fut ravie de joie, et leur porta bien à souper, mais ils ne purent manger tant ils étaient saisis de peur. Pour l'Ogre, il se remit à boire, ravi d'avoir de quoi si bien régaler ses Amis. Il but une douzaine de coups plus qu'à l'ordinaire, ce qui lui donna un peu dans la tête[2], et l'obligea de s'aller coucher.

L'Ogre avait sept filles, qui n'étaient encore que des enfants. Ces petites Ogresses avaient toutes le teint fort beau, parce qu'elles mangeaient de la chair fraîche comme leur père; mais elles avaient de petits yeux gris et tout ronds, le nez crochu et une fort

---

1. Attendris.
2. Ce qui lui monta à la tête, l'enivra.

grande bouche avec de longues dents fort aiguës et fort éloignées l'une de l'autre. Elles n'étaient pas encore fort méchantes, mais elles promettaient beaucoup, car elles mordaient déjà les petits enfants pour en sucer le sang.

On les avait fait coucher de bonne heure, et elles étaient toutes sept dans un grand lit, ayant chacune une Couronne d'or sur la tête. Il y avait dans la même Chambre un autre lit de la même grandeur ; ce fut dans ce lit que la femme de l'Ogre mit coucher les sept petits garçons, après quoi, elle s'alla coucher auprès de son mari.

Le petit Poucet qui avait remarqué que les filles de l'Ogre avaient des Couronnes d'or sur la tête, et qui craignait qu'il ne prît à l'Ogre quelque remords de ne les avoir pas égorgés dès le soir même, se leva vers le milieu de la nuit, et prenant les bonnets de ses frères et le sien, il alla tout doucement les mettre sur la tête des sept filles de l'Ogre, après leur avoir ôté leurs Couronnes d'or qu'il mit sur la tête de ses frères et sur la sienne, afin que l'Ogre les prît pour ses filles, et ses filles pour les garçons qu'il voulait égorger. La chose réussit comme il l'avait pensé ; car l'Ogre s'étant éveillé sur le minuit eut regret d'avoir différé au lendemain ce qu'il pouvait exécuter la veille ; il se jeta donc brusquement hors du lit, et prenant son grand Couteau : « Allons voir, dit-il, comment se portent nos petits drôles ; n'en faisons pas à deux fois[1]. »

Il monta donc à tâtons à la Chambre de ses filles et s'approcha du lit où étaient les petits garçons, qui

1. Ne nous y reprenons pas à deux fois.

dormaient tous, excepté le petit Poucet, qui eut bien peur lorsqu'il sentit la main de l'Ogre qui lui tâtait la tête, comme il avait tâté celles de tous ses frères. L'Ogre, qui sentit les Couronnes d'or : « Vraiment, dit-il, j'allais faire là un bel ouvrage ; je vois bien que je bus trop hier au soir. » Il alla ensuite au lit de ses filles, où ayant senti les petits bonnets des garçons : « Ah ! les voilà, dit-il, nos gaillards ! travaillons hardiment. » En disant ces mots, il coupa sans balancer la gorge à ses sept filles. Fort content de cette expédition, il alla se recoucher auprès de sa femme.

Aussitôt que le petit Poucet entendit ronfler l'Ogre, il réveilla ses frères, et leur dit de s'habiller[1] promptement et de le suivre. Ils descendirent doucement dans le Jardin, et sautèrent par-dessus les murailles. Ils coururent presque toute la nuit, toujours en tremblant et sans savoir où ils allaient.

L'Ogre s'étant éveillé dit à sa femme : « Va-t'en là-haut habiller ces petits drôles d'hier au soir. » L'Ogresse fut fort étonnée de la bonté de son mari, ne se doutant point de la manière qu'il entendait qu'elle les habillât, et croyant qu'il lui ordonnait de les aller vêtir, elle monta en haut où elle fut bien surprise lorsqu'elle aperçut ses sept filles égorgées et nageant dans leur sang.

Elle commença par s'évanouir (car c'est le premier expédient que trouvent presque toutes les femmes en pareilles rencontres[2]). L'Ogre, craignant que sa

1. Expression à double sens, car « habiller » veut aussi dire : « préparer pour la cuisson » !

2. Circonstances, hasards.

femme ne fût trop longtemps à faire la besogne dont il l'avait chargée, monta en haut pour lui aider. Il ne fut pas moins étonné que sa femme lorsqu'il vit cet affreux spectacle. « Ah ! qu'ai-je fait là ? s'écria-t-il. Ils me le payeront, les malheureux[1], et tout à l'heure. » Il jeta aussitôt une potée[2] d'eau dans le nez de sa femme et l'ayant fait revenir : « Donne-moi vite mes bottes de sept lieues, lui dit-il, afin que j'aille les attraper. »

Il se mit en campagne, et après avoir couru bien loin de tous côtés, enfin il entra dans le chemin où marchaient ces pauvres enfants qui n'étaient plus qu'à cent pas du logis de leur père. Ils virent l'Ogre qui allait de montagne en montagne, et qui traversait des rivières aussi aisément qu'il aurait fait le moindre ruisseau. Le petit Poucet, qui vit un Rocher creux proche le lieu[3] où ils étaient, y fit cacher ses six frères, et s'y fourra aussi, regardant toujours ce que l'Ogre deviendrait.

L'Ogre qui se trouvait fort las du long chemin qu'il avait fait inutilement (car les bottes de sept lieues fatiguent fort leur homme), voulut se reposer, et par hasard il alla s'asseoir sur la roche où les petits garçons s'étaient cachés. Comme il n'en pouvait plus de fatigue, il s'endormit après s'être reposé quelque temps, et vint à ronfler si effroyablement que les pauvres enfants n'en eurent pas moins de peur que quand il tenait son grand Couteau pour leur couper

1. Méchants.
2. Contenu d'un pot.
3. Proche du lieu.

la gorge. Le petit Poucet en eut moins de peur, et dit à ses frères de s'enfuir promptement à la maison pendant que l'Ogre dormait bien fort, et qu'ils ne se missent point en peine de lui. Ils crurent son conseil, et gagnèrent vite la maison.

Le petit Poucet s'étant approché de l'Ogre lui tira doucement ses bottes, et les mit aussitôt. Les bottes étaient fort grandes et fort larges ; mais comme elles étaient Fées, elles avaient le don de s'agrandir et de s'apetisser[1] selon la jambe de celui qui les chaussait, de sorte qu'elles se trouvèrent aussi justes à ses pieds et à ses jambes que si elles avaient été faites pour lui.

Il alla droit à la maison de l'Ogre où il trouva sa femme qui pleurait auprès de ses filles égorgées. « Votre mari, lui dit le petit Poucet, est en grand danger ; car il a été pris par une troupe de Voleurs qui ont juré de le tuer s'il ne leur donne tout son or et tout son argent. Dans le moment qu'ils lui tenaient le poignard sur la gorge, il m'a aperçu et m'a prié de vous venir avertir de l'état où il est, et de vous dire de me donner tout ce qu'il a vaillant[2] sans en rien retenir, parce que autrement ils le tueront sans miséricorde. Comme la chose presse beaucoup, il a voulu que je prisse ses bottes de sept lieues que voilà pour faire diligence[3], et aussi afin que vous ne croyiez pas que je sois un affronteur[4]. »

La bonne femme fort effrayée lui donna aussitôt

1. Rapetisser.
2. Tout ce qu'il possède.
3. Pour faire vite.
4. Menteur adroit.

tout ce qu'elle avait : car cet Ogre ne laissait pas d'être fort bon mari, quoiqu'il mangeât les petits enfants. Le petit Poucet étant donc chargé de toutes les richesses de l'Ogre s'en revint au logis de son père, où il fut reçu avec bien de la joie.

Il y a bien des gens qui ne demeurent pas d'accord de cette dernière circonstance, et qui prétendent que le petit Poucet n'a jamais fait ce vol à l'Ogre ; qu'à la vérité, il n'avait pas fait conscience de[1] lui prendre ses bottes de sept lieues, parce qu'il ne s'en servait que pour courir après les petits enfants.

Ces gens-là assurent le savoir de bonne part[2], et même pour avoir bu et mangé dans la maison du Bûcheron. Ils assurent que lorsque le petit Poucet eut chaussé les bottes de l'Ogre, il s'en alla à la Cour, où il savait qu'on était fort en peine d'une Armée qui était à deux cents lieues de là, et du succès[3] d'une Bataille qu'on avait donnée. Il alla, disent-ils, trouver le Roi, et lui dit que s'il le souhaitait, il lui rapporterait des nouvelles de l'Armée avant la fin du jour. Le Roi lui promit une grosse somme d'argent s'il en venait à bout. Le petit Poucet rapporta des nouvelles dès le soir même, et cette première course l'ayant fait connaître, il gagnait tout ce qu'il voulait ; car le Roi le payait parfaitement bien pour porter ses ordres à l'Armée, et une infinité de Dames lui donnaient tout ce qu'il voulait pour avoir des nouvelles de leurs Amants, et ce fut là son plus grand gain.

---

1. Il n'avait pas eu de scrupules à.
2. De source fiable.
3. Résultat.

Il se trouvait quelques femmes qui le chargeaient de Lettres pour leurs maris, mais elles le payaient si mal, et cela allait à si peu de chose[1], qu'il ne daignait mettre en ligne de compte ce qu'il gagnait de ce côté-là.

Après avoir fait pendant quelque temps le métier de courrier, et y avoir amassé beaucoup de bien, il revint chez son père, où il n'est pas possible d'imaginer la joie qu'on eut de le revoir. Il mit toute sa famille à son aise. Il acheta des Offices[2] de nouvelle création pour son père et pour ses frères ; et par là il les établit tous, et fit parfaitement bien sa Cour en même temps.

MORALITÉ

On ne s'afflige point d'avoir beaucoup d'enfants,
Quand ils sont tous beaux, bien faits et bien grands,
Et d'un extérieur qui brille ;
Mais si l'un d'eux est faible ou ne dit mot,
On le méprise, on le raille, on le pille[3] *;*
Quelquefois cependant c'est ce petit marmot
Qui fera le bonheur de toute la famille.

1. Cela se montait à si peu de choses.
2. Charges, emplois.
3. On l'attaque, on lui tombe dessus.

Grisélidis

NOUVELLE

À MADEMOISELLE***[1]

En vous offrant, jeune et sage Beauté,
Ce modèle de Patience,
Je ne me suis jamais flatté
Que par vous de tout point[2] il serait imité ;
C'en serait trop en conscience.

Mais Paris où l'homme est poli,
Où le beau sexe né pour plaire
Trouve son bonheur accompli,
De tous côtés est si rempli
D'exemples du vice contraire,
Qu'on ne peut en toute saison,
Pour s'en garder ou s'en défaire,
Avoir trop de contrepoison.

Une Dame aussi patiente
Que celle dont ici je relève le prix,

---

1. Le conte serait dédié à Mlle Lhéritier, une nièce de Perrault, auteur de contes également.
2. Entièrement.

Serait partout une chose étonnante,
Mais ce serait un prodige à Paris.

Les femmes y sont souveraines.
Tout s'y règle selon leurs vœux,
Enfin c'est un climat heureux
Qui n'est habité que de Reines.

Ainsi je vois que de toutes façons,
Grisélidis y sera peu prisée,
Et qu'elle y donnera matière de risée,
Par ses trop antiques leçons.

Ce n'est pas que la Patience
Ne soit une vertu des Dames de Paris,
Mais par un long usage elles ont la science
De la faire exercer par leurs propres maris.

Au pied des célèbres montagnes [1]
Où le Pô [2] s'échappant de dessous ses roseaux,
Va dans le sein des prochaines campagnes [3]
Promener ses naissantes eaux,
Vivait un jeune et vaillant Prince,
Les délices de sa Province :
Le Ciel en le formant, sur lui tout à la fois
Versa ce qu'il a de plus rare,
Ce qu'entre ses amis d'ordinaire il sépare,
Et qu'il ne donne qu'aux grands Rois.

---

1. Il s'agit des Alpes occidentales.
2. Fleuve qui prend sa source en Italie du Nord.
3. Des campagnes voisines.

Comblé de tous les dons et du corps et de l'âme,
Il fut robuste, adroit, propre au métier de Mars[1],
Et par l'instinct secret d'une divine flamme,
Avec ardeur il aima les beaux Arts.
Il aima les combats, il aima la victoire,
Les grands projets, les actes valeureux,
Et tout ce qui fait vivre un beau nom dans l'histoire;
Mais son cœur tendre et généreux
Fut encore plus sensible à la solide gloire
De rendre ses Peuples heureux.

Ce tempérament héroïque
Fut obscurci d'une sombre vapeur
Qui, chagrine et mélancolique,
Lui faisait voir dans le fond de son cœur,
Tout le beau sexe infidèle et trompeur.
Dans la femme où brillait le plus rare mérite,
Il voyait une âme hypocrite,
Un esprit d'orgueil enivré,
Un cruel ennemi qui sans cesse n'aspire
Qu'à prendre un souverain empire[2]
Sur l'homme malheureux qui lui sera livré.

Le fréquent usage du monde,
Où l'on ne voit qu'Époux subjugués ou trahis,
Joint à l'air jaloux du Pays,
Accrut encor cette haine profonde.
Il jura donc plus d'une fois

1. Dieu de la guerre.
2. Autorité, domination absolue.

Que quand même le Ciel, pour lui plein de tendresse
Formerait une autre Lucrèce[1],
Jamais de l'Hyménée[2] il ne suivrait les lois.
Ainsi, quand le matin, qu'il donnait aux affaires,
Il avait réglé sagement
Toutes les choses nécessaires
Au bonheur du gouvernement[3]
Que du faible orphelin, de la veuve oppressée,
Il avait conservé les droits,
Ou banni quelque impôt qu'une guerre forcée
Avait introduit autrefois ;
L'autre moitié de la journée
À la chasse était destinée,
Où les Sangliers et les Ours,
Malgré leur fureur et leurs armes,
Lui donnaient encor moins d'alarmes
Que le sexe charmant qu'il évitait toujours.

Cependant ses sujets que leur intérêt presse
De s'assurer d'un successeur
Qui les gouverne un jour avec même douceur,
À leur donner un fils le conviaient sans cesse.

Un jour dans le Palais ils vinrent tous en corps[4]
Pour faire leurs derniers efforts ;
Un orateur d'une grave apparence,
Et le meilleur qui fût alors,

---

1. Femme romaine, épouse déshonorée, elle se donna la mort. Elle demeure un symbole des vertus conjugales.
2. Le mariage.
3. Pour le bien de tous ses sujets.
4. Tous les sujets.

Dit tout ce qu'on peut dire en pareille occurrence;
Il marqua leur désir pressant
De voir sortir du Prince une heureuse lignée
Qui rendît à jamais leur État florissant;
Il lui dit même en finissant
Qu'il voyait un Astre naissant
Issu de son chaste Hyménée
Qui faisait pâlir le croissant.

D'un ton plus simple et d'une voix moins forte,
Le Prince à ses sujets répondit de la sorte:
— Le zèle ardent, dont je vois qu'en ce jour
Vous me portez[1] aux nœuds du mariage,
Me fait plaisir, et m'est de votre amour
Un agréable témoignage;
J'en suis sensiblement touché,
Et voudrais dès demain pouvoir vous satisfaire:
Mais à mon sens l'Hymen est une affaire
Où plus l'homme est prudent, plus il est empêché.
Observez bien toutes les jeunes filles;
Tant qu'elles sont au sein de leurs familles,
Ce n'est que vertu, que bonté,
Que pudeur, que sincérité,
Mais sitôt que le mariage
Au déguisement a mis fin,
Et qu'ayant fixé leur destin
Il n'importe plus d'être sage,
Elles quittent leur personnage,
Non sans avoir beaucoup pâti,

1. Vous m'incitez.

Et chacune dans son ménage
Selon son gré prend son parti.

L'une d'humeur chagrine, et que rien ne récrée[1],
Devient une Dévote outrée,
Qui crie et gronde à tous moments;
L'autre se façonne en Coquette,
Qui sans cesse écoute ou caquette,
Et n'a jamais assez d'Amants;
Celle-ci des beaux Arts follement curieuse,
De tout décide avec hauteur,
Et critiquant le plus habile Auteur,
Prend la forme de Précieuse;
Cette autre s'érige en Joueuse,
Perd tout, argent, bijoux, bagues, meubles de prix,
Et même jusqu'à ses habits.

Dans la diversité des routes qu'elles tiennent,
Il n'est qu'une chose où je vois
Qu'enfin toutes elles conviennent[2],
C'est de vouloir donner la loi.
Or je suis convaincu que dans le mariage
On ne peut jamais vivre heureux,
Quand on y commande tous deux;
Si donc vous souhaitez qu'à l'Hymen je m'engage,
Cherchez une jeune Beauté
Sans orgueil et sans vanité,
D'une obéissance achevée,
D'une patience éprouvée,

---

1. Que rien n'amuse.
2. Elles tombent d'accord.

Et qui n'ait point de volonté ;
Je la prendrai quand vous l'aurez trouvée.

Le Prince ayant mis fin à ce discours moral,
Monte brusquement à cheval,
Et court joindre à perte d'haleine
Sa meute qui l'attend au milieu de la plaine.

Après avoir passé des prés et des guérets,
Il trouve ses Chasseurs couchés sur l'herbe verte ;
Tous se lèvent et tous alertes,
Font trembler de leurs cors les hôtes des forêts.
Des chiens courants, l'aboyante famille,
De-çà de-là, parmi le chaume brille,
Et les Limiers[1] à l'œil ardent
Qui du fort[2] de la Bête à leur poste reviennent,
Entraînent en les regardant
Les forts valets qui les retiennent.

S'étant instruit par un des siens
Si tout est prêt, si l'on est sur la trace,
Il ordonne aussitôt qu'on commence la chasse,
Et fait donner le Cerf aux chiens[3].
Le son des cors qui retentissent,
Le bruit des chevaux qui hennissent
Et des chiens animés les pénétrants abois,
Remplissent la forêt de tumulte et de trouble,
Et pendant que l'écho sans cesse les redouble,

---

1. Grands chiens de chasse.
2. C'est l'endroit le plus épais de la forêt, là où se terrent les bêtes sauvages.
3. La meute des chiens est lâchée après le cerf.

S'enfoncent avec eux dans les plus creux du bois.
Le Prince, par hasard, ou par sa destinée,
Prit une route détournée,
Où nul des Chasseurs ne le suit ;
Plus il court, plus il s'en sépare :
Enfin à tel point qu'il s'égare,
Que des chiens et des cors il n'entend plus le bruit.

L'endroit où le mena sa bizarre aventure,
Clair de ruisseaux et sombre de verdure,
Saisissait les esprits d'une secrète horreur ;
La simple et naïve Nature
S'y faisait voir et si belle et si pure,
Que mille fois il bénit son erreur.

Rempli des douces rêveries
Qu'inspirent les grands bois, les eaux et les prairies,
Il sent soudain frapper et son cœur et ses yeux
Par l'objet le plus agréable,
Le plus doux et le plus aimable,
Qu'il eût jamais vu sous les Cieux.

C'était une jeune Bergère
Qui filait aux bords d'un ruisseau,
Et qui, conduisant son troupeau,
D'une main sage et ménagère
Tournait son agile fuseau [1].
Elle aurait pu dompter les cœurs les plus sauvages ;
Des lys, son teint a la blancheur,
Et sa naturelle fraîcheur

1. Petit instrument servant à filer la laine.

S'était toujours sauvée à l'ombre des bocages :
Sa bouche, de l'enfance avait tout l'agrément,
Et ses yeux qu'adoucit une brune paupière,
Plus bleus que n'est le firmament,
Avaient aussi plus de lumière.

Le Prince, avec transport, dans le bois se glissant,
Contemple les beautés dont son âme est émue,
Mais le bruit qu'il fait en passant
De la Belle sur lui fit détourner la vue.
Dès qu'elle se vit aperçue,
D'un brillant incarnat[1] la prompte et vive ardeur,
De son beau teint redoubla la splendeur,
Et sur son visage épandue,
Y fit triompher la Pudeur.

Sous le voile innocent de cette honte aimable,
Le Prince découvrit une simplicité,
Une douceur, une sincérité,
Dont il croyait le beau sexe incapable,
Et qu'il voit là dans toute leur beauté.

Saisi d'une frayeur pour lui toute nouvelle,
Il s'approche interdit, et plus timide qu'elle,
Lui dit d'une tremblante voix,
Que de tous ses Veneurs[2] il a perdu la trace,
Et lui demande si la chasse
N'a point passé quelque part dans le bois.
— Rien n'a paru, Seigneur, dans cette solitude,

1. D'un rouge clair et vif.
2. Les officiers du roi qui s'occupent de la chasse à courre.

Dit-elle, et nul ici que vous seul n'est venu ;
Mais n'ayez point d'inquiétude,
Je remettrai vos pas sur un chemin connu.

— De mon heureuse destinée
Je ne puis, lui dit-il, trop rendre grâce aux Dieux ;
Depuis longtemps je fréquente ces lieux,
Mais j'avais ignoré jusqu'à cette journée
Ce qu'ils ont de plus précieux.
Dans ce temps elle voit que le Prince se baisse
Sur le moite bord du ruisseau,
Pour étancher dans le cours de son eau
La soif ardente qui le presse.
— Seigneur, attendez un moment,
Dit-elle, et courant promptement
Vers sa cabane, elle y prend une tasse,
Qu'avec joie et de bonne grâce,
Elle présente à ce nouvel Amant.

Les vases précieux de cristal et d'agate
Où l'or en mille endroits éclate,
Et qu'un Art curieux[1] avec soin façonna,
N'eurent jamais pour lui, dans leur pompe inutile,
Tant de beauté que le vase d'argile
Que la Bergère lui donna.

Cependant pour trouver une route facile
Qui mène le Prince à la ville,
Ils traversent des bois, des rochers escarpés
Et des torrents entrecoupés ;

---

1. Un travail soigné.

Le Prince n'entre point dans de route nouvelle
Sans en bien observer tous les lieux d'alentour,
Et son ingénieux Amour
Qui songeait au retour,
En fit une carte fidèle.
Dans un bocage sombre et frais
Enfin la Bergère le mène,
Où, de dessous ses branchages épais,
Il voit au loin dans le sein de la plaine
Les toits dorés de son riche Palais.
S'étant séparé de la Belle,
Touché d'une vive douleur,
À pas lents il s'éloigne d'Elle,
Chargé du trait qui lui perce le cœur ;
Le souvenir de sa tendre aventure
Avec plaisir le conduisit chez lui,
Mais dès le lendemain il sentit sa blessure,
Et se vit accablé de tristesse et d'ennui.
Dès qu'il le peut il retourne à la chasse,
Où de sa suite adroitement
Il s'échappe et se débarrasse
Pour s'égarer heureusement.
Des arbres et des monts les cimes élevées,
Qu'avec grand soin il avait observées,
Et les avis secrets de son fidèle amour,
Le guidèrent si bien que malgré les traverses
De cent routes diverses,
De sa jeune Bergère il trouva le séjour.
Il sut qu'elle n'a plus que son Père avec elle,
Que Grisélidis on l'appelle,
Qu'ils vivent doucement du lait de leurs brebis,
Et que de leur toison qu'elle seule elle file,

Sans avoir recours à la Ville,
Ils font eux-mêmes leurs habits.

Plus il la voit, plus il s'enflamme
Des vives beautés de son âme;
Il connaît, en voyant tant de dons précieux,
Que si la Bergère est si belle,
C'est qu'une légère étincelle
De l'esprit qui l'anime a passé dans ses yeux.

Il ressent une joie extrême,
D'avoir si bien placé ses premières amours,
Ainsi sans plus tarder, il fit dès le jour même
Assembler son Conseil et lui tint ce discours:

— Enfin aux Lois de l'Hyménée
Suivant vos vœux je me vais engager;
Je ne prends point ma femme en Pays étranger,
Je la prends parmi vous, belle, sage, bien née,
Ainsi que mes aïeux ont fait plus d'une fois,
Mais j'attendrai cette grande journée
À[1] vous informer de mon choix.

Dès que la nouvelle fut sue,
Partout elle fut répandue.
On ne peut dire avec combien d'ardeur
L'allégresse publique
De tous côtés s'explique;
Le plus content fut l'Orateur,
Qui par son discours pathétique

1. Pour.

Croyait d'un si grand bien être l'unique Auteur.
Qu'il se trouvait homme de conséquence[1] !
Rien ne peut résister à la grande éloquence,
Disait-il sans cesse en son cœur.
Le plaisir fut de voir le travail inutile
Des Belles de toute la Ville
Pour s'attirer et mériter le choix
Du Prince leur Seigneur, qu'un air chaste et modeste
Charmait uniquement et plus que tout le reste,
Ainsi qu'il l'avait dit cent fois.

D'habit et de maintien toutes elles changèrent,
D'un ton dévot elles toussèrent,
Elles radoucirent leurs voix,
De demi-pied les coiffures baissèrent,
La gorge[2] se couvrit, les manches s'allongèrent,
À peine on leur voyait le petit bout des doigts.
Dans la Ville avec diligence[3],
Pour l'Hymen dont le jour s'avance,
On voit travailler tous les Arts :
Ici se font de magnifiques chars
D'une forme toute nouvelle,
Si beaux et si bien inventés,
Que l'or qui partout étincelle
En fait la moindre des beautés.

Là, pour voir aisément et sans aucun obstacle
Toute la pompe du spectacle,

---

1. Homme d'une grande importance.
2. La poitrine.
3. Avec empressement, zèle.

On dresse de longs échafauds,
Ici de grands Arcs triomphaux,
Où du Prince Guerrier se célèbre la gloire,
Et de l'Amour sur lui l'éclatante victoire.
Là, sont forgés d'un art industrieux[1],
Ces feux qui par les coups d'un innocent tonnerre,
En effrayant la Terre,
De mille astres nouveaux embellissent les Cieux.
Là d'un ballet ingénieux
Se concerte avec soin l'agréable folie,
Et là d'un Opéra peuplé de mille Dieux,
Le plus beau que jamais ait produit l'Italie,
On entend répéter les airs mélodieux.
Enfin, du fameux Hyménée,
Arriva la grande journée.

Sur le fond d'un Ciel vif et pur,
À peine l'aurore vermeille[2]
Confondait l'or avec l'azur,
Que partout en sursaut le beau sexe s'éveille ;
Le Peuple curieux s'épand de tous côtés,
En différents endroits des Gardes sont postés
Pour contenir la Populace,
Et la contraindre à faire place.
Tout le Palais retentit de Clairons,
De flûtes, de hautbois, de rustiques musettes[3],
Et l'on n'entend aux environs
Que des tambours et des trompettes.

1. Avec habileté.
2. D'un rouge vif.
3. Cornemuses.

Enfin le Prince sort entouré de sa Cour.
Il s'élève un long cri de joie,
Mais on est bien surpris quand au premier détour,
De la Forêt prochaine on voit qu'il prend la voie,
Ainsi qu'il faisait chaque jour.
Voilà, dit-on, son penchant qui l'emporte,
Et de ses passions, en dépit de l'Amour,
La Chasse est toujours la plus forte.

Il traverse rapidement
Les guérets[1] de la plaine, et gagnant la montagne,
Il entre dans le bois au grand étonnement
De la Troupe qui l'accompagne.

Après avoir passé par différents détours,
Que son cœur amoureux se plaît à reconnaître,
Il trouve enfin la cabane champêtre
Où logent ses tendres amours.

Grisélidis de l'Hymen informée,
Par la voix de la Renommée,
En avait pris son bel habillement;
Et pour en aller voir la pompe magnifique,
De dessous sa case rustique
Sortait en ce même moment.

— Où courez-vous si prompte et si légère?
Lui dit le Prince, en l'abordant
Et tendrement la regardant;
Cessez de vous hâter, trop aimable Bergère:

1. Terres laissées en jachère.

La noce où vous allez, et dont je suis l'Époux,
Ne saurait se faire sans vous.

Oui, je vous aime, et je vous ai choisie
Entre mille jeunes beautés,
Pour passer avec vous le reste de ma vie,
Si toutefois mes vœux ne sont pas rejetés.
— Ah ! dit-elle, Seigneur, je n'ai garde de[1] croire
Que je sois destinée à ce comble de gloire,
Vous cherchez à vous divertir.
— Non, non, dit-il, je suis sincère,
J'ai déjà pour moi votre Père,
(Le Prince avait eu soin de l'en faire avertir.)
Daignez, Bergère, y consentir,
C'est là tout ce qui reste à faire.
Mais, afin qu'entre nous une solide paix
Éternellement se maintienne,
Il faudrait me jurer que vous n'aurez jamais
D'autre volonté que la mienne.

— Je le jure, dit-elle, et je vous le promets ;
Si j'avais épousé le moindre du Village,
J'obéirais, son joug[2] me serait doux ;
Hélas ! combien donc davantage,
Si je viens à trouver en vous
Et mon Seigneur et mon Époux.

Ainsi le Prince se déclare,
Et pendant que la Cour applaudit à son choix,

1. Je me refuse à croire.
2. Sa domination.

Il porte la Bergère à souffrir[1] qu'on la pare
Des ornements qu'on donne aux Épouses des Rois.
Celles qu'à cet emploi leur devoir intéresse,
Entrent dans la cabane, et là diligemment
Mettent tout leur savoir et toute leur adresse
À donner de la grâce à chaque ajustement.

Dans cette Hutte où l'on se presse,
Les Dames admirent sans cesse
Avec quel art la Pauvreté
S'y cache sous la Propreté ;
Et cette rustique Cabane,
Que couvre et rafraîchit un spacieux Platane,
Leur semble un séjour enchanté.

Enfin, de ce Réduit sort pompeuse et brillante
La Bergère charmante :
Ce ne sont qu'applaudissements
Sur sa beauté, sur ses habillements ;
Mais sous cette pompe[2] étrangère,
Déjà, plus d'une fois, le Prince a regretté
Des ornements de la Bergère
L'innocente simplicité.

Sur un grand char d'or et d'ivoire,
La Bergère s'assied pleine de majesté ;
Le Prince y monte avec fierté,
Et ne trouve pas moins de gloire
À se voir comme amant assis à son côté,
Qu'à marcher en triomphe après une victoire ;

---

1. Il la convainc d'accepter.
2. Splendeur, magnificence.

La Cour les suit et tous gardent le rang
Que leur donne leur charge[1] ou l'éclat de leur sang[2].
La Ville, dans les champs presque toute sortie,
Couvrait les plaines d'alentour,
Et du choix du Prince avertie,
Avec impatience attendait son retour.
Il paraît, on le joint. Parmi l'épaisse foule
Du Peuple qui se fend le char à peine roule ;
Par les longs cris de joie à tout coup redoublés,
Les chevaux émus et troublés,
Se cabrent, trépignent, s'élancent,
Et reculent plus qu'ils n'avancent.

Dans le Temple[3] on arrive enfin,
Et là par la chaîne éternelle
D'une promesse solennelle,
Les deux Époux unissent leur destin ;
Ensuite au Palais ils se rendent,
Où mille plaisirs les attendent,
Où la Danse, les Jeux, les Courses, les Tournois,
Répandent l'allégresse en différents endroits.
Sur le soir le blond Hyménée
De ses chastes douceurs couronna la journée.

Le lendemain, les différents États[4]
De toute la Province
Accourent haranguer la Princesse et le Prince
Par la voix de leurs Magistrats.

---

1. Leur fonction au sein du royaume.
2. Le prestige de leur noblesse.
3. Dans l'église.
4. Les assemblées des provinces du royaume.

De ses Dames environnée,
Grisélidis, sans paraître étonnée,
En Princesse les entendit,
En Princesse leur répondit.
Elle fit toute chose avec tant de prudence,
Qu'il sembla que le ciel eût versé ses trésors,
Avec encor plus d'abondance
Sur son âme que sur son corps.
Par son esprit, par ses vives lumières,
Du grand monde aussitôt elle prit les manières,
Et même dès le premier jour
Des talents, de l'humeur des Dames de sa Cour,
Elle se fit si bien instruire,
Que son bon sens jamais embarrassé
Eut moins de peine à les conduire
Que ses Brebis du temps passé.

Avant la fin de l'an, des fruits de l'Hyménée
Le Ciel bénit leur couche fortunée[1].
Ce ne fut pas un Prince, on l'eût bien souhaité ;
Mais la jeune Princesse avait tant de beauté,
Que l'on ne songea plus qu'à conserver sa vie ;
Le Père qui lui trouve un air doux et charmant,
La venait voir de moment en moment,
Et la Mère encor plus ravie
La regardait incessamment.

Elle voulut la nourrir elle-même :
— Ah ! dit-elle, comment m'exempter de l'emploi

---

1. Favorisée par la chance.

Que ses cris demandent de moi,
Sans une ingratitude extrême ?
Par un motif de Nature ennemi,
Pourrais-je bien vouloir de mon Enfant que j'aime,
N'être la Mère qu'à demi ?

Soit que le Prince eût l'âme un peu moins enflammée
Qu'aux premiers jours de son ardeur,
Soit que de sa maligne humeur[1]
La masse se fût rallumée,
Et de son épaisse fumée
Eût obscurci ses sens et corrompu son cœur,
Dans tout ce que fait la Princesse,
Il s'imagine voir peu de sincérité,
Sa trop grande vertu le blesse,
C'est un piège qu'on tend à sa crédulité ;
Son esprit inquiet et de trouble agité
Croit tous les soupçons qu'il écoute,
Et prend plaisir à révoquer en doute
L'excès de sa félicité.
Pour guérir les chagrins dont son âme est atteinte,
Il la suit, il l'observe, il aime à la troubler
Par les ennuis de la contrainte,
Par les alarmes de la crainte,
Par tout ce qui peut démêler
La vérité d'avec la feinte.
— C'est trop, dit-il, me laisser endormir ;
Si ses vertus sont véritables,
Les traitements les plus insupportables
Ne feront que les affermir.

1. Son mauvais caractère.

Dans son Palais il la tient resserrée[1],
Loin de tous les plaisirs qui naissent à la Cour,
Et dans sa chambre, où seule elle vit retirée,
À peine il laisse entrer le jour.
Persuadé que la Parure
Et le superbe Ajustement
Du sexe, que pour plaire a formé la Nature,
Est le plus doux enchantement,
Il lui demande avec rudesse
Les perles, les rubis, la bagues, les bijoux,
Qu'il lui donna pour marque de tendresse,
Lorsque de son Amant il devint son Époux.

Elle dont la vie est sans tache,
Et qui n'a jamais eu d'attache
Qu'à s'acquitter de son devoir,
Les lui donne sans s'émouvoir,
Et même le voyant se plaire à les reprendre,
N'a pas moins de joie à les rendre
Qu'elle en eut à les recevoir.

— Pour m'éprouver mon Époux me tourmente,
Dit-elle, et je vois bien qu'il ne me fait souffrir,
Qu'afin de réveiller ma vertu languissante,
Qu'un doux et long repos pourrait faire périr.
S'il n'a pas ce dessein, du moins suis-je assurée
Que telle est du Seigneur la conduite sur moi,
Et que de tant de maux l'ennuyeuse durée
N'est que pour[2] exercer ma constance et ma foi.

---

1. Emprisonnée.
2. N'a d'autre but que.

Pendant que tant de malheureuses
Errent au gré de leurs désirs,
Par mille routes dangereuses,
Après de faux et vains plaisirs ;
Pendant que le Seigneur dans sa lente justice
Les laisse aller aux bords du précipice,
Sans prendre part à leur danger,
Par un pur mouvement de sa bonté suprême,
Il me choisit comme un enfant qu'il aime,
Et s'applique à me corriger.
Aimons donc sa rigueur utilement cruelle ;
On n'est heureux qu'autant qu'on a souffert,
Aimons sa Bonté paternelle,
Et la main dont elle se sert.

Le Prince a beau la voir obéir sans contrainte
À tous ses ordres absolus :
— Je vois le fondement de cette vertu feinte,
Dit-il ; et ce qui rend tous mes coups superflus,
C'est qu'ils n'ont porté leur atteinte
Qu'à des endroits où son amour n'est plus.

Dans son Enfant, dans la jeune Princesse,
Elle a mis toute sa tendresse ;
À l'éprouver si je veux réussir,
C'est là qu'il faut que je m'adresse,
C'est là que je puis m'éclaircir.

Elle venait de donner la mamelle
Au tendre Objet de son amour ardent,
Qui couché sur son sein se jouait avec elle
Et riait en la regardant :

— Je vois que vous l'aimez, lui dit-il ; cependant
Il faut que je vous l'ôte en cet âge encor tendre,
Pour lui former les mœurs et pour la préserver
De certains mauvais airs qu'avec vous l'on peut prendre ;
Mon heureux sort m'a fait trouver
Une Dame d'esprit qui saura l'élever
Dans toutes les vertus et dans la politesse
Que doit avoir une Princesse.
Disposez-vous à la quitter,
On va venir pour l'emporter.

Il la laisse à ces mots, n'ayant pas le courage,
Ni les yeux assez inhumains,
Pour voir arracher de ses mains
De leur amour l'unique gage [1],
Elle, de mille pleurs, se baigne le visage,
Et dans un morne accablement
Attend de son malheur le funeste moment.

Dès que d'une action si triste et si cruelle
Le ministre [2] odieux à ses yeux se montra,
— Il faut obéir, lui dit-elle ;
Puis prenant son Enfant qu'elle considéra,
Qu'elle baisa d'une ardeur maternelle,
Qui de ses petits bras tendrement la serra,
Toute en pleurs elle le livra.
Ah, que sa douleur fut amère !
Arracher l'enfant ou le cœur

1. L'unique témoignage.
2. Le serviteur qui doit exécuter l'ordre.

Du sein d'une si tendre Mère,
C'est la même douleur.
Près de la Ville était un Monastère,
Fameux par son antiquité,
Où des Vierges vivaient dans une règle austère,
Sous les yeux d'une Abbesse illustre en piété.
Ce fut là que dans le silence,
Et sans déclarer sa naissance,
On déposa l'Enfant, et des bagues de prix,
Sous l'espoir[1] d'une récompense
Digne des soins que l'on en aurait pris.

Le Prince qui tâchait d'éloigner par la chasse
Le vif remords qui l'embarrasse
Sur l'excès de sa cruauté,
Craignait de revoir la Princesse,
Comme on craint de revoir une fière Tigresse
À qui son faon[2] vient d'être ôté ;
Cependant il en fut traité
Avec douceur, avec caresse,
Et même avec cette tendresse
Qu'elle eut aux plus beaux jours de sa prospérité.

Par cette complaisance et si grande et si prompte,
Il fut touché de regret et de honte ;
Mais son chagrin[3] demeura le plus fort :
Ainsi, deux jours après, avec des larmes feintes
Pour lui porter encor de plus vives atteintes,

1. En promettant.
2. Au XVIIe siècle, le faon désigne aussi le petit des fauves.
3. Sa mauvaise humeur, sa mélancolie.

Il lui vint dire que la Mort,
De leur aimable Enfant avait fini le sort.

Ce coup inopiné mortellement la blesse,
Cependant malgré sa tristesse,
Ayant vu son Époux qui changeait de couleur,
Elle parut oublier son malheur,
Et n'avoir même de tendresse
Que pour le consoler de sa fausse douleur.

Cette bonté, cette ardeur sans égale
D'amitié conjugale,
Du Prince tout à coup désarmant la rigueur,
Le touche, le pénètre et lui change le cœur,
Jusques-là[1] qu'il lui prend envie
De déclarer que leur enfant
Jouit encore de la vie ;
Mais sa bile s'élève et, fière, lui défend
De rien découvrir du mystère
Qu'il peut être utile de taire.

Dès ce bienheureux jour, telle des deux Époux
Fut la mutuelle tendresse,
Quelle n'est point plus vive aux moments les plus doux
Entre l'Amant et la Maîtresse.
Quinze fois le Soleil pour former les saisons,
Habita tour à tour dans ses douze maisons,
Sans rien voir qui les désunisse :
Que si quelquefois par caprice

1. À tel point que.

Il prend plaisir à la fâcher,
C'est seulement pour empêcher
Que l'amour ne se ralentisse,
Tel que le Forgeron qui, pressant son labeur,
Répand un peu d'eau sur la braise
De sa languissante fournaise,
Pour en redoubler la chaleur.

Cependant la jeune Princesse
Croissait en esprit, en sagesse;
À la douceur, à la naïveté
Qu'elle tenait de son aimable Mère,
Elle joignit de son illustre Père
L'agréable et noble fierté;
L'amas[1] de ce qui plaît dans chaque caractère
Fit une parfaite beauté.
Partout comme un Astre elle brille;
Et par hasard un Seigneur de la Cour,
Jeune, bien fait et plus beau que le jour,
L'ayant vu paraître à la grille[2],
Conçut pour elle un violent amour.
Par l'instinct qu'au beau sexe a donné la Nature,
Et que toutes les Beautés ont,
De voir l'invisible blessure
Que font leurs yeux, au moment qu'ils la font,
La Princesse fut informée
Qu'elle était tendrement aimée.
Après avoir quelque temps résisté,
Comme on le doit avant que de se rendre,

1. La somme.
2. La grille de son couvent.

D'un amour également tendre
Elle l'aima de son côté.

Dans cet Amant, rien n'était à reprendre ;
Il était beau, vaillant, né d'illustres aïeux
Et dès[1] longtemps pour en faire son Gendre
Sur lui le Prince avait jeté les yeux.
Ainsi donc avec joie il apprit la nouvelle
De l'ardeur tendre et mutuelle
Dont brûlaient ces jeunes Amants ;
Mais il lui prit une bizarre envie
De leur faire acheter par de cruels tourments,
Le plus grand bonheur de leur vie.

— Je me plairai, dit-il, à les rendre contents ;
Mais il faut que l'Inquiétude,
Par tout ce qu'elle a de plus rude,
Rende encor leurs feux plus constants ;
De mon Épouse en même temps,
J'exercerai[2] la patience,
Non point, comme jusqu'à ce jour,
Pour rassurer ma folle défiance ;
Je ne dois plus douter de son amour.
Mais pour faire éclater aux yeux de tout le Monde
Sa Bonté, sa Douceur, sa Sagesse profonde,
Afin que de ces dons si grands, si précieux,
La Terre se voyant parée,
En soit de respect pénétrée,
Et par reconnaissance en rende grâce aux Cieux.

1. Depuis.
2. J'éprouverai.

Il déclare en public que manquant de lignée,
En qui l'État un jour retrouve son Seigneur,
Que la fille qu'il eut de son fol Hyménée
Étant morte aussitôt que née,
Il doit ailleurs chercher plus de bonheur;
Que l'Épouse qu'il prend est d'illustre naissance,
Qu'en un Couvent on l'a jusqu'à ce jour
Fait élever dans l'innocence,
Et qu'il va par l'Hymen couronner son amour.

On peut juger à quel point fut cruelle
Aux deux jeunes Amants cette affreuse nouvelle;
Ensuite, sans marquer ni chagrin ni douleur,
Il avertit son Épouse fidèle
Qu'il faut qu'il se sépare d'elle
Pour éviter un extrême malheur;
Que le Peuple indigné de sa basse naissance
Le force à prendre ailleurs une digne alliance.

— Il faut, dit-il, vous retirer
Sous votre toit de chaume et de fougère
Après avoir repris vos habits de Bergère,
Que je vous ai fait préparer.

Avec une tranquille et muette constance,
La Princesse entendit prononcer sa sentence;
Sous les dehors d'un visage serein
Elle dévorait son chagrin,
Et sans que la douleur diminuât ses charmes,
De ses beaux yeux tombaient de grosses larmes,

Ainsi que quelquefois au retour du printemps,
Il fait Soleil et pleut en même temps.

— Vous êtes mon Époux, mon Seigneur, et mon Maître,
(Dit-elle en soupirant, prête à s'évanouir),
Et quelque affreux que soit ce que je viens d'ouïr,
Je saurai vous faire connaître
Que rien ne m'est si cher que de vous obéir.

Dans sa chambre aussitôt seule elle se retire,
Et là se dépouillant de ses riches habits,
Elle reprend paisible et sans rien dire,
Pendant que son cœur en soupire,
Ceux qu'elle avait en gardant ses brebis.

En cet humble et simple équipage,
Elle aborde le Prince et lui tient ce langage :

— Je ne puis m'éloigner de vous
Sans le pardon[1] d'avoir su vous déplaire ;
Je puis souffrir le poids de ma misère,
Mais je ne puis, Seigneur, souffrir votre courroux ;
Accordez cette grâce à mon regret sincère,
Et je vivrai contente en mon triste séjour,
Sans que jamais le Temps altère
Ni mon humble respect, ni mon fidèle amour.
Tant de soumission et tant de grandeur d'âme
Sous un si vil habillement,
Qui dans le cœur du Prince, en ce même moment,
Réveilla tous les traits de sa première flamme,

1. Sans que vous me pardonniez.

Allaient casser l'arrêt de son bannissement.
Ému par de si puissants charmes,
Et prêt à répandre des larmes,
Il commençait à s'avancer
Pour l'embrasser ;
Quand tout à coup l'impérieuse gloire
D'être ferme en son sentiment
Sur son amour remporta la victoire,
Et le fit en ces mots répondre durement :
— De tout le temps passé j'ai perdu la mémoire,
Je suis content de votre repentir,
Allez, il est temps de partir.

Elle part aussitôt, et regardant son Père
Qu'on avait revêtu de son rustique habit,
Et qui, le cœur percé d'une douleur amère,
Pleurait un changement si prompt et si subit :
— Retournons, lui dit-elle, en nos sombres bocages
Retournons habiter nos demeures sauvages,
Et quittons sans regret la pompe des Palais ;
Nos cabanes n'ont pas tant de magnificence,
Mais on y trouve avec plus d'innocence,
Un plus ferme repos, une plus douce paix.

Dans son désert à grand'peine arrivée,
Elle reprend et quenouille et fuseaux,
Et va filer au bord des mêmes eaux
Où le Prince l'avait trouvée.
Là son cœur tranquille et sans fiel
Cent fois le jour demande au Ciel
Qu'il comble son Époux de gloire, de richesses,
Et qu'à tous ses désirs il ne refuse rien ;

Un Amour nourri de caresses
N'est pas plus ardent que le sien.

Ce cher Époux qu'elle regrette
Voulant encore l'éprouver,
Lui fait dire dans sa retraite
Qu'elle ait à le venir trouver.

— Grisélidis, dit-il, dès qu'elle se présente,
Il faut que la Princesse à qui je dois demain
Dans le Temple donner la main[1],
De vous et de moi soit contente.
Je vous demande ici tous vos soins, et je veux
Que vous m'aidiez à plaire à l'objet de mes vœux ;
Vous savez de que air[2] il faut que l'on me serve,
Point d'épargne, point de réserve ;
Que tout sente le Prince, et le Prince amoureux.
Employez toute votre adresse
À parer son appartement,
Que l'abondance, la richesse,
La propreté, la politesse
S'y fasse[3] voir également ;
Enfin songez incessamment
Que c'est une jeune Princesse
Que j'aime tendrement.
Pour vous faire entrer davantage
Dans les soins de votre devoir,
Je veux ici vous faire voir
Celle qu'à bien servir mon ordre vous engage.

---

1. Que je dois marier.
2. De quelle manière.
3. Au singulier ; au XVIIe siècle, l'accord se fait avec le sujet le plus proche.

Telle qu'aux Portes du Levant
Se montre la naissante Aurore,
Telle parut en arrivant
La Princesse plus belle encore.
Grisélidis à son abord
Dans le fond de son cœur sentit un doux transport
De la tendresse maternelle;
Du temps passé, de ses jours bienheureux,
Le souvenir en son cœur se rappelle:
— Hélas, ma fille, en soi-même dit-elle,
Si le Ciel favorable eût écouté mes vœux,
Serait presque aussi grande, et peut-être aussi belle.
Pour la jeune Princesse en ce même moment,
Elle prit un amour si vif, si véhément,
Qu'aussitôt qu'elle fut absente,
En cette sorte au Prince elle parla,
Suivant, sans le savoir, l'instinct qui s'en mêla:
— Souffrez[1], Seigneur, que je vous représente
Que cette Princesse charmante,
Dont vous allez être l'Époux,
Dans l'aise, dans l'éclat, dans la pourpre[2] nourrie,
Ne pourra supporter, sans en perdre la vie,
Les mêmes traitements que j'ai reçus de vous.

Le besoin, ma naissance obscure,
M'avaient endurcie aux travaux,
Et je pouvais souffrir toutes sortes de maux
Sans peine et même sans murmure;

---

1. Admettez.
2. Couleur symbolisant le luxe, la noblesse.

Mais elle qui jamais n'a connu la douleur,
Elle mourra dès la moindre rigueur,
Dès la moindre parole un peu sèche, un peu dure ;
Hélas ! Seigneur, je vous conjure
De la traiter avec douceur.

— Songez, lui dit le Prince avec un ton sévère,
À me servir selon votre pouvoir,
Il ne faut pas qu'une simple Bergère
Fasse des leçons, et s'ingère[1]
De m'avertir de mon devoir.
Grisélidis, à ces mots, sans rien dire,
Baisse les yeux et se retire.

Cependant pour l'Hymen les Seigneurs invités
Arrivèrent de tous côtés ;
Dans une magnifique salle
Où le Prince les assembla
Avant que d'allumer la torche nuptiale,
En cette sorte il leur parla :
— Rien au monde après l'Espérance,
N'est plus trompeur que l'Apparence ;
Ici l'on en peut voir un exemple éclatant.
Qui ne croirait que ma jeune Maîtresse,
Que l'Hymen va rendre Princesse,
Ne soit heureuse et n'ait le cœur content ?
Il n'en est rien pourtant.

Qui pourrait s'empêcher de croire,
Que ce jeune Guerrier amoureux de la gloire,

1. S'occupe.

N'aime à voir cet Hymen, lui qui dans les Tournois
Va sur tous ses Rivaux remporter la victoire ?
Cela n'est pas vrai toutefois.

Qui ne croirait encor qu'en sa juste colère,
Grisélidis ne pleure et ne se désespère ?
Elle ne se plaint point, elle consent à tout,
Et rien n'a pu pousser sa patience à bout.

Qui ne croirait enfin que de ma destinée,
Rien ne peut égaler la course fortunée,
En voyant les appas de l'objet de mes vœux ?
Cependant si l'Hymen me liait de ses nœuds,
J'en concevrais une douleur profonde,
Et de tous les Princes du Monde
Je serais le plus malheureux.

L'Énigme vous paraît difficile à comprendre ;
Deux mots vont vous la faire entendre,
Et ces deux mots feront évanouir
Tous les malheurs que vous venez d'ouïr.
Sachez, poursuivit-il, que l'aimable Personne
Que vous croyez m'avoir[1] blessé le cœur,
Est ma Fille, et que je la donne
Pour Femme à ce jeune Seigneur
Qui l'aime d'un amour extrême,
Et dont il est aimé de même.

Sachez encor, que touché vivement
De la patience et du zèle

1. Dont vous croyez qu'elle m'a.

De l'Épouse sage et fidèle
Que j'ai chassée indignement,
Je la reprends, afin que je répare
Par tout ce que l'amour peut avoir de plus doux,
Le traitement dur et barbare
Qu'elle a reçu de mon esprit jaloux.
Plus grande sera mon étude[1]
À prévenir tous ses désirs,
Qu'elle ne fut dans mon inquiétude
À l'accabler de déplaisirs ;
Et si dans tous les temps doit vivre la mémoire
Des ennuis dont son cœur ne fut point abattu,
Je veux que plus encore on parle de la gloire,
Dont j'aurai couronné sa suprême vertu.

Comme quand un épais nuage
A le jour obscurci,
Et que le Ciel, de toutes parts noirci,
Menace d'un affreux orage ;
Si de ce voile obscur par les vents écarté,
Un brillant rayon de clarté
Se répand sur le paysage,
Tout rit et reprend sa beauté :
Telle dans tous les yeux où régnait la tristesse,
Éclate tout à coup une vive allégresse.

Par ce prompt éclaircissement,
La jeune Princesse ravie
D'apprendre que du Prince elle a reçu la vie,
Se jette à ses genoux qu'elle embrasse ardemment.

---

1. Mon ardeur.

Son Père qu'attendrit une fille si chère,
La relève, la baise, et la mène à sa Mère,
À qui trop de plaisir en un même moment
Ôtait presque tout sentiment.
Son cœur qui, tant de fois en proie
Aux plus cuisants traits du malheur,
Supporta si bien la douleur,
Succombe au doux poids de la joie ;
À peine de ses bras pouvait-elle serrer
L'aimable Enfant que le Ciel lui renvoie ;
Elle ne pouvait que pleurer.

— Assez dans d'autres temps vous pourrez satisfaire [1],
Lui dit le Prince, aux tendresses du sang [2]
Reprenez les habits qu'exige votre rang,
Nous avons des noces à faire.
Au Temple on conduisit les deux jeunes Amants,
Où la mutuelle promesse
De se chérir avec tendresse
Affermit pour jamais leurs doux engagements.
Ce ne sont que plaisirs, que Tournois magnifiques,
Que Jeux, que Danses, que Musiques,
Et que Festins délicieux,
Où sur Grisélidis se tournent tous les yeux,
Où sa patience éprouvée
Jusques au Ciel est élevée
Par mille éloges glorieux :
Des Peuples réjouis la complaisance est telle
Pour leur Prince capricieux,

---

1. Vous aurez à d'autres moments l'occasion de satisfaire.
2. Des liens de parenté.

Qu'ils vont jusqu'à louer son épreuve cruelle,
À qui d'une vertu si belle,
Si séante au beau sexe, et si rare en tous lieux,
On doit un si parfait modèle.

À MONSIEUR***[1]

En lui envoyant Grisélidis

Si je m'étais rendu à tous les différents avis qui m'ont été donnés sur l'Ouvrage que je vous envoie, il n'y serait rien demeuré que le conte tout sec et tout uni, et en ce cas j'aurais mieux fait de n'y pas toucher et de le laisser dans son papier bleu[2] où il est depuis tant d'années. Je le lus d'abord à deux de mes Amis. — Pourquoi, dit l'un, s'étendre si fort sur le caractère de votre Héros ? Qu'a-t-on à faire de savoir ce qu'il faisait le matin dans son Conseil, et moins encore à quoi il se divertissait l'après-dînée ? Tout cela est bon à retrancher[3]. — Ôtez-moi, je vous prie, dit l'autre, la réponse enjouée qu'il fait aux Députés de son Peuple, qui le pressent de se marier ; elle convient point à un Prince grave et sérieux. Vous voulez bien encore, poursuivit-il, que je vous conseille de supprimer la

---

1. Le destinataire demeure inconnu.
2. Référence à la couleur de la couverture de la « Bibliothèque bleue ».
3. Devrait être supprimé.

longue description de votre chasse ? Qu'importe tout cela au fond de votre histoire ? Croyez-moi, ce sont de vains et ambitieux ornements, qui appauvrissent votre Poème au lieu de l'enrichir. Il en est de même, ajouta-t-il, des préparatifs qu'on fait pour le mariage du Prince, tout cela est oiseux[1] *et inutile. Pour vos Dames qui rabaissent leurs coiffures, qui couvrent leurs gorges, et qui allongent leurs manches, froide plaisanterie aussi bien que celle de l'Orateur qui s'applaudit de son éloquence. — Je demande encore, reprit celui qui avait parlé le premier, que vous ôtiez les réflexions chrétiennes de Grisélidis, qui dit que c'est Dieu qui veut l'éprouver ; c'est un sermon hors de sa place. Je ne saurais encore souffrir les inhumanités de votre Prince, elles me mettent en colère, je les supprimerais. Il est vrai qu'elles sont de l'Histoire, mais il n'importe. J'ôterais encore l'Épisode du jeune Seigneur qui n'est là que pour épouser la jeune Princesse, cela allonge trop votre conte. — Mais, lui dis-je, le conte finirait mal sans cela. — Je ne saurais que vous dire, répondit-il, je ne laisserais pas que de l'ôter*[2].

À quelques jours de là, je fis la même lecture à deux autres de mes Amis, qui ne me dirent pas un seul mot sur les endroits dont je viens de parler, mais qui en reprirent quantité d'autres. — Bien loin de me plaindre de la rigueur de votre critique, leur dis-je, je me plains de ce qu'elle n'est pas assez sévère, vous m'avez passé une infinité d'endroits que l'on trouve très dignes de censure. — Comme quoi ? dirent-ils. — On trouve, leur dis-je, que le caractère du prince est trop étendu, et qu'on n'a que faire de savoir

1. Sans importance.
2. Je n'hésiterais pas à l'ôter.

ce qu'il faisait le matin et encore moins l'après-dînée. — On se moque de vous, dirent-ils tous deux ensemble, quand on vous fait de semblables critiques. — On blâme, poursuivis-je, la réponse que fait le Prince à ceux qui le pressent de se marier, comme trop enjouée et indigne d'un Prince grave et sérieux. — Bon, reprit l'un d'eux ; et où est l'inconvénient qu'un jeune Prince d'Italie, pays où l'on est accoutumé à voir les hommes les plus graves et les plus élevés en dignité dire des plaisanteries, et qui d'ailleurs fait profession de[1] *mal parler, et des femmes et du mariage, matières si sujettes à la raillerie, se soit un peu réjoui sur cet article ? Quoi qu'il en soit, je vous demande grâce pour cet endroit comme pour celui de l'Orateur qui croyait avoir converti le Prince, et pour le rabaissement des coiffures ; car ceux qui n'ont pas aimé la réponse enjouée du Prince ont bien la mine d'avoir fait main basse sur ces deux endroits-là. — Vous l'avez deviné, lui dis-je. Mais d'un autre côté, ceux qui n'aiment que les choses plaisantes n'ont pu souffrir les réflexions chrétiennes de la Princesse, qui dit que c'est Dieu qui la veut éprouver. Ils prétendent que c'est un sermon hors de propos. — Hors de propos ? reprit l'autre ; non seulement ces réflexions conviennent au sujet, mais elles y sont absolument nécessaires. Vous aviez besoin de rendre croyable la Patience de votre Héroïne ; et quel autre moyen aviez-vous que de lui faire regarder les mauvais traitements de son Époux comme venant de la main de Dieu ? Sans cela, on la prendrait pour la plus stupide de toutes les femmes, ce qui ne ferait pas assurément un bon effet.*

— On blâme encore, leur dis-je, l'Épisode du jeune Sei-

1. S'ingénie publiquement à.

gneur qui épouse la jeune Princesse. — On a tort, reprit-il ; comme votre Ouvrage est un véritable Poème, quoique vous lui donniez le titre de Nouvelle, il faut qu'il n'y ait rien à désirer quand il finit. Cependant si la jeune Princesse s'en retournait dans son Couvent sans être mariée après s'y être attendue, elle ne serait point contente ni ceux qui liraient la Nouvelle.

Ensuite de[1] cette conférence, j'ai pris le parti de laisser mon Ouvrage tel à peu près qu'il a été lu dans l'Académie. En un mot, j'ai eu soin de corriger les choses qu'on m'a fait voir être mauvaises en elles-mêmes ; mais à l'égard de celles que j'ai trouvées n'avoir point d'autre défaut que de n'être pas au goût de quelques personnes peut-être un peu trop délicates, j'ai cru n'y devoir pas toucher.

Est-ce une raison décisive
D'ôter un bon mets d'un repas,
Parce qu'il s'y trouve un Convive
Qui par malheur ne l'aime pas ?
Il faut que tout le monde vive,
Et que les mets, pour plaire à tous,
Soient différents comme les goûts.

Quoi qu'il en soit, j'ai cru devoir m'en remettre au Public, qui juge toujours bien. J'apprendrai de lui ce que j'en dois croire, et je suivrai exactement tous ses avis, s'il m'arrive jamais de faire une seconde édition de cet Ouvrage.

1. Suite à.

Peau d'Âne

CONTE

À MADAME LA MARQUISE DE L...[1]

Il est des gens de qui l'esprit guindé,
Sous un front jamais déridé,
Ne souffre, n'approuve et n'estime
Que le pompeux et le sublime ;
Pour moi, j'ose poser en fait
Qu'en de certains moments l'esprit le plus parfait
Peut aimer sans rougir jusqu'aux Marionnettes[2] *;*
Et qu'il est des temps et des lieux
Où le grave et le sérieux
Ne valent pas d'agréables sornettes.
Pourquoi faut-il s'émerveiller
Que la Raison la mieux sensée,
Lasse souvent de trop veiller,
Par des contes d'Ogre et de Fée
Ingénieusement bercée,
Prenne plaisir à sommeiller ?

---

1. Il s'agit de la marquise de Lambert, qui tenait un salon réputé.

2. Les théâtres de marionnettes, présents à Paris dès la fin du XVIe siècle.

Sans craindre donc qu'on me condamne
De mal employer mon loisir,
Je vais, pour contenter votre juste désir,
Vous conter tout au long l'histoire de Peau d'Âne.

Il était une fois un Roi
Le plus grand qui fût sur la Terre,
Aimable en Paix, terrible en Guerre,
Seul enfin comparable à soi ;
Ses voisins le craignaient, ses États étaient calmes,
Et l'on voyait de toutes parts
Fleurir, à l'ombre de ses palmes,
Et les Vertus et les beaux Arts.
Son aimable Moitié, sa Compagne fidèle,
Était si charmante et si belle,
Avait l'esprit si commode et si doux
Qu'il était encor avec elle
Moins heureux Roi qu'heureux Époux.
De leur tendre et chaste Hyménée
Plein de douceur et d'agrément,
Avec tant de vertus une fille était née
Qu'ils se consolaient aisément
De n'avoir pas de plus ample lignée.

Dans son vaste et riche Palais
Ce n'était que magnificence,
Partout y fourmillait une vive abondance
De Courtisans et de Valets ;
Il avait dans son Écurie
Grands et petits chevaux de toutes les façons,

Couverts de beaux caparaçons[1],
Raides d'or et de broderie ;
Mais ce qui surprenait tout le monde en entrant
C'est qu'au lieu le plus apparent,
Un maître Âne étalait ses deux grandes oreilles ;
Cette injustice vous surprend
Mais lorsque vous saurez ses vertus non pareilles,
Vous ne trouverez pas que l'honneur fût trop grand.
Tel et si net le forma la nature
Qu'il ne faisait jamais d'ordure,
Mais bien beaux Écus au soleil
Et Louis de toute manière[2]
Qu'on allait recueillir sur la blonde litière
Tous les matins à son réveil.
Or le Ciel qui parfois se lasse
De rendre les hommes contents,
Qui toujours à ses biens mêle quelque disgrâce
Ainsi que la pluie au beau temps,
Permit qu'une âpre maladie
Tout à coup de la Reine attaquât les beaux jours.
Partout on cherche du secours,
Mais ni la Faculté[3] qui le Grec étudie,
Ni les Charlatans ayant cours[4],
Ne purent tous ensemble arrêter l'incendie
Que la fièvre allumait en s'augmentant toujours.

Arrivée à sa dernière heure
Elle dit au Roi son Époux :

---

1. Armures d'ornement.
2. De toutes les sortes.
3. La faculté de médecine.
4. En vogue, à la mode.

— Trouvez bon qu'avant que je meure
J'exige une chose de vous ;
C'est que s'il vous prenait envie
De vous remarier quand je n'y serai plus...
— Ha ! dit le Roi, ces soins sont superflus,
Je n'y songerai de ma vie,
Soyez en repos là-dessus.
— Je le crois bien, reprit la Reine,
Si j'en prends à témoin votre amour véhément ;
Mais, pour m'en rendre plus certaine
Je veux avoir votre serment,
Adouci toutefois par ce tempérament[1]
Que si vous rencontrez une femme plus belle,
Mieux faite et plus sage que moi,
Vous pourrez franchement[2] lui donner votre foi
Et vous marier avec elle.
Sa confiance en ses attraits
Lui faisait regarder une telle promesse
Comme un serment, supris[3] avec adresse,
De ne se marier jamais.
Le Prince jura donc, les yeux baignés de larmes,
Tout ce que la Reine voulut ;
La Reine entre ses bras mourut,
Et jamais un mari ne fit tant de vacarmes.
À l'ouïr sangloter et les nuits et les jours,
On jugea que son deuil ne lui durerait guère
Et qu'il pleurait ses défuntes Amours
Comme un homme pressé qui veut sortir d'affaire.

1. Dans le sens de tempérer.
2. Librement.
3. Obtenu inopinément.

On ne se trompa point. Au bout de quelques mois
Il voulut procéder à faire un nouveau choix;
Mais ce n'était pas chose aisée,
Il fallait garder son serment
Et que la nouvelle Épousée
Eût plus d'attraits et d'agrément
Que celle qu'on venait de mettre au monument[1].
Ni la Cour en beautés fertile,
Ni la Campagne, ni la Ville,
Ni les Royaumes d'alentour
Dont on alla faire le tour,
N'en purent fournir une telle.
L'Infante seule était plus belle
Et possédait certains tendres appas
Que la défunte n'avait pas.
Le Roi le remarqua lui-même
Et brûlant d'un amour extrême,
Alla follement s'aviser
Que par cette raison il devait l'épouser.
Il trouva même un Casuiste[2]
Qui jugea que le cas se pouvait proposer.
Mais la jeune Princesse, triste
D'ouïr parler d'un tel amour,
Se lamentait et pleurait nuit et jour.

De mille chagrins l'âme pleine,
Elle alla trouver sa Marraine

1. Qu'on venait d'enterrer.
2. Théologien s'appuyant sur les règles morales et chrétiennes pour résoudre des cas de conscience.

Loin dans une grotte à l'écart,
De Nacre et de Corail richement étoffée[1] ;
C'était une admirable Fée
Qui n'eut jamais de pareille en son Art.
Il n'est pas besoin qu'on vous die[2]
Ce qu'était une Fée en ces bienheureux temps,
Car je suis sûr que votre Mie[3]
Vous l'aura dit dès vos plus jeunes ans.

— Je sais, dit-elle, en voyant la Princesse,
Ce qui vous fait venir ici,
Je sais de votre cœur la profonde tristesse,
Mais avec moi n'ayez plus de souci.
Il n'est rien qui vous puisse nuire
Pourvu qu'à mes conseils vous vous laissiez conduire ;
Votre Père, il est vrai, voudrait vous épouser ;
Écouter sa folle demande
Serait une faute bien grande,
Mais sans le contredire on le peut refuser.

Dites-lui qu'il faut qu'il vous donne
Pour rendre vos désirs contents,
Avant qu'à son amour votre cœur s'abandonne,
Une robe qui soit de la couleur du Temps.
Malgré tout son pouvoir et toute sa richesse,
Quoique le Ciel en tout favorise ses vœux,
Il ne pourra jamais accomplir sa promesse.
Aussitôt la jeune Princesse

1. Décorée.
2. Forme ancienne du subjonctif.
3. Autrefois, les enfants appelaient ainsi leur gouvernante.

L'alla dire en tremblant à son Père amoureux,
Qui, dans le moment, fit entendre
Aux Tailleurs les plus importants
Que s'ils ne lui faisaient, sans trop le faire attendre,
Une Robe qui fût de la couleur du Temps,
Ils pouvaient s'assurer qu'il les ferait tous pendre.

Le second jour ne luisait pas encor
Qu'on apporta la robe désirée ;
Le plus beau bleu de l'Empyrée[1]
N'est pas, lorsqu'il est ceint de gros nuages d'or,
D'une couleur plus azurée.
De joie et de douleur l'Infante pénétrée
Ne sait que dire, ni comment
Se dérober à son engagement.
— Princesse, demandez-en une,
Lui dit sa Marraine tout bas,
Qui, plus brillante et moins commune,
Soit de la couleur de la Lune.
Il ne vous la donnera pas.
À peine la Princesse en eut fait la demande
Que le Roi dit à son Brodeur :
— Que l'astre de la Nuit n'ait pas plus de splendeur
Et que dans quatre jours, sans faute, on me la rende.

Le riche habillement fut fait au jour marqué,
Tel que le Roi s'en était expliqué.
Dans les Cieux où la Nuit a déployé ses voiles,
La Lune est moins pompeuse en sa robe d'argent

---

1. Terme donné par les Anciens à la partie la plus haute des cieux.

Lors même qu'au milieu de son cours diligent[1]
Sa plus vive clarté fait pâlir les étoiles.
La Princesse admirant ce merveilleux habit,
Était à consentir presque délibérée[2];
Mais par sa Marraine inspirée,
Au Prince amoureux elle dit :
— Je ne saurais être contente
Que je n'aie une Robe encore plus brillante
Et de la couleur du Soleil.
Le Prince, qui l'aimait d'un amour sans pareil,
Fit venir aussitôt un riche Lapidaire[3]
Et lui commanda de la faire
D'un superbe tissu d'or et de diamants,
Disant que s'il manquait à le bien satisfaire,
Il le ferait mourir au milieu des tourments.
Le Prince fut exempt de s'en donner la peine,
Car l'ouvrier industrieux,
Avant la fin de la semaine,
Fit apporter l'ouvrage précieux
Si beau, si vif, si radieux,
Que le blond Amant de Climène[4],
Lorsque sur la voûte des Cieux
Dans son char d'or il se promène,
D'un plus brillant éclat n'éblouit pas les yeux.

L'Infante que ces dons achèvent de confondre,
À son Père, à son Roi ne sait plus que répondre.

---

1. Sa course rapide et appliquée.
2. Décidée.
3. Tailleur de pierres précieuses.
4. Dans la mythologie grecque, femme qui avait pour amant le dieu du Soleil.

Sa Marraine aussitôt la prenant par la main :
— Il ne faut pas, lui dit-elle à l'oreille,
Demeurer en si beau chemin ;
Est-ce une si grande merveille
Que tous ces dons que vous en recevez
Tant qu'il aura l'Âne que vous savez,
Qui d'écus d'or sans cesse emplit sa bourse ?
Demandez-lui la peau de ce rare Animal,
Comme il est toute sa ressource
Vous ne l'obtiendrez pas, ou je raisonne mal.

Cette Fée était bien savante,
Et cependant elle ignorait encor
Que l'amour violent, pourvu qu'on le contente,
Compte pour rien l'argent et l'or ;
La peau fut galamment aussitôt accordée
Que l'Infante l'eut demandée.

Cette peau, quand on l'apporta,
Terriblement l'épouvanta
Et la fit de son sort amèrement se plaindre.
Sa Marraine survint, et lui représenta[1]
Que quand on fait le bien on ne doit jamais craindre,
Qu'il faut laisser penser au Roi
Qu'elle est tout à fait disposée
À subir avec lui la conjugale Loi,
Mais qu'au même moment, seule et bien déguisée,
Il faut qu'elle s'en aille en quelque État lointain
Pour éviter un mal si proche et si certain.

---

1. Lui expliqua.

— Voici, poursuivit-elle, une grande cassette
Où nous mettrons tous vos habits,
Votre miroir, votre toilette,
Vos diamants et vos rubis.
Je vous donne encor ma Baguette ;
En la tenant en votre main,
La cassette suivra votre même chemin,
Toujours sous la Terre cachée ;
Et lorsque vous voudrez l'ouvrir,
À peine mon bâton la Terre aura touchée
Qu'aussitôt à vos yeux elle viendra s'offrir.
Pour vous rendre méconnaissable,
La dépouille de l'Âne est un masque admirable.
Cachez-vous bien dans cette peau,
On ne croira jamais, tant elle est effroyable,
Qu'elle renferme rien de beau.
La Princesse ainsi travestie
De chez la sage Fée à peine fut sortie,
Pendant la fraîcheur du matin,
Que le Prince qui, pour la Fête
De son heureux Hymen, s'apprête,
Apprend tout effrayé son funeste destin.
Il n'est point de maison, de chemin, d'avenue,
Qu'on ne parcoure promptement ;
Mais on s'agite vainement,
On ne peut deviner ce qu'elle est devenue.

Partout se répandit un triste et noir chagrin ;
Plus de Noces, plus de Festin,
Plus de Tarte, plus de Dragées ;
Les Dames de la Cour toutes découragées
N'en dînèrent point la plupart ;

Mais du Curé surtout la tristesse fut grande,
Car il en déjeuna fort tard,
Et qui, pis est, n'eut point d'offrande.

L'Infante cependant poursuivait son chemin,
Le visage couvert d'une vilaine crasse ;
À tous Passants, elle tendait la main,
Et tâchait, pour servir [1], de trouver une place.
Mais les moins délicats et les plus malheureux,
La voyant si maussade et si pleine d'ordure,
Ne voulaient écouter ni retirer chez eux
Une si sale créature.

Elle alla donc bien loin, bien loin, encor plus loin ;
Enfin elle arriva dans une Métairie
Où la Fermière avait besoin
D'une souillon, dont l'industrie [2]
Allât jusqu'à savoir bien laver des torchons,
Et nettoyer l'auge aux Cochons.

On la mit dans un coin au fond de la cuisine
Où les Valets, insolente vermine,
Ne faisaient que la tirailler,
La contredire et la railler ;
Ils ne savaient quelle pièce [3] lui faire,
La harcelant à tout propos ;
Elle était la butte ordinaire
De tous leurs quolibets et de tous leurs bons mots.

---

1. Pour être servante.
2. Le savoir-faire.
3. Méchanceté.

Elle avait le Dimanche un peu plus de repos,
Car ayant du matin fait sa petite affaire,
Elle entrait dans sa chambre et tenant son huis[1] clos
Elle se décrassait, puis ouvrait sa cassette,
Mettait proprement sa toilette,
Rangeait dessus ses petits pots ;
Devant son grand miroir, contente et satisfaite,
De la Lune tantôt la robe elle mettait,
Tantôt celle où le feu du Soleil éclatait,
Tantôt la belle robe bleue
Que tout l'azur des Cieux ne saurait égaler ;
Avec ce chagrin seul que leur traînante queue[2]
Sur le plancher trop court ne pouvait s'étaler.
Elle aimait à se voir jeune, vermeille et blanche
Et plus brave[3] cent fois que nulle autre n'était ;
Ce doux plaisir la sustentait[4]
Et la menait jusqu'à l'autre Dimanche.
J'oubliais à dire en passant
Qu'en cette grande Métairie,
D'un Roi magnifique et puissant
Se faisait la Ménagerie,
Que là, Poules de Barbarie,
Râles, Pintades, Cormorans,
Oisons musqués, Canes Petières,
Et mille autres oiseaux de bizarres manières,
Entre eux presque tous différents,
Remplissaient à l'envi dix cours toutes entières.

1. Sa porte.
2. La traîne de ses robes.
3. Distinguée, soignée.
4. Lui donnait des forces.

Le fils du Roi dans ce charmant séjour
Venait souvent, au retour de la Chasse,
Se reposer, boire à la glace[1]
Avec les Seigneurs de sa Cour.
Tel ne fut point le beau Céphale[2]:
Son air était Royal, sa mine martiale
Propre à faire trembler les plus fiers bataillons.
Peau d'Âne de fort loin le vit avec tendresse,
Et reconnut par cette hardiesse
Que sous sa crasse et ses haillons
Elle gardait encor le cœur d'une Princesse.

— Qu'il a l'air grand, quoiqu'il l'ait négligé,
Qu'il est aimable, disait-elle,
Et que bienheureuse est la belle
À qui son cœur est engagé !
D'une robe de rien s'il m'avait honorée,
Je m'en trouverais plus parée
Que de toutes celles que j'ai.

Un jour le jeune Prince, errant à l'aventure
De basse-cour en basse-cour,
Passa dans une allée obscure
Où de Peau d'Âne était l'humble séjour.
Par hasard il mit l'œil au trou de la serrure.
Comme il était fête ce jour[3],
Elle avait pris une riche parure

1. Galerie souterraine
2. Héros grec qui testa l'amour de sa femme.
3. C'était jour de fête.

Et ses superbes vêtements
Qui, tissus de fin or et de gros diamants,
Égalaient du Soleil la clarté la plus pure.

Le Prince au gré de son désir
La contemple et ne peut qu'à peine,
En la voyant, reprendre haleine,
Tant il est comblé de plaisir.
Quels que soient les habits, la beauté du visage,
Son beau tour, sa vive blancheur,
Ses traits fins, sa jeune fraîcheur
Le touchent cent fois davantage ;
Mais un certain air de grandeur,
Plus encore une sage et modeste pudeur,
Des beautés de son âme, assuré témoignage,
S'emparèrent de tout son cœur.

Trois fois dans la chaleur du feu qui le transporte,
Il voulut enfoncer la porte ;
Mais croyant voir une Divinité,
Trois fois par le respect son bras fut arrêté.

Dans le Palais, pensif il se retire
Et là, nuit et jour, il soupire ;
Il ne veut plus aller au Bal
Quoiqu'on soit dans le Carnaval.
Il hait la Chasse, il hait la Comédie[1],
Il n'a plus d'appétit, tout lui fait mal au cœur,
Et le fond de sa maladie
Est une triste et mortelle langueur.

1. Le théâtre.

Il s'enquit quelle était cette Nymphe admirable
Qui demeurait dans une basse-cour
Au fond d'une allée effroyable,
Où l'on ne voit goutte en plein jour.
C'est, lui dit-on, Peau d'Âne, en rien Nymphe ni belle
Et que Peau d'Âne on appelle,
À cause de la Peau qu'elle met sur son cou ;
De l'Amour c'est le vrai remède,
La bête en un mot la plus laide,
Qu'on puisse voir après le loup ;
On a beau dire, il ne saurait le croire ;
Les traits que l'amour a tracés
Toujours présents à sa mémoire
N'en seront jamais effacés.

Cependant la Reine sa Mère,
Qui n'a que lui d'enfant, pleure et se désespère ;
De déclarer son mal elle le presse en vain,
Il gémit, il pleure, il soupire,
Il ne dit rien, si ce n'est qu'il désire
Que Peau d'Âne lui fasse un gâteau de sa main ;
Et la Mère ne sait ce que son Fils veut dire.
— Ô Ciel ! Madame, lui dit-on,
Cette Peau d'Âne est une noire Taupe
Plus vilaine encore et plus gaupe[1]
Que le plus sale Marmiton.
— N'importe, dit la Reine, il le faut satisfaire,
Et c'est à cela seul que nous devons songer.
Il aurait eu de l'or, tant l'aimait cette Mère,
S'il en avait voulu manger.

---

1. Souillon, malpropre.

Peau d'Âne donc prend sa farine
Qu'elle avait fait bluter[1] exprès,
Pour rendre sa pâte plus fine,
Son sel, son beurre et ses œufs frais,
Et pour bien faire sa galette
S'enferme seule en sa chambrette.

D'abord elle se décrassa
Les mains, les bras et le visage,
Et pris un corps[2] d'argent que vite elle laça
Pour dignement faire l'ouvrage
Qu'aussitôt elle commença.

On dit qu'en travaillant un peu trop à la hâte,
De son doigt par hasard il tomba dans la pâte
Un de ses anneaux de grand prix ;
Mais ceux qu'on tient savoir[3] le fin de cette histoire
Assurent que par elle exprès il y fut mis ;
Et pour moi franchement je l'oserais bien croire,
Fort sûr que quand le Prince à sa porte aborda,
Et par le trou la regarda,
Elle s'en était aperçue :
Sur ce point la femme est si drue[4],
Et son œil va si promptement,
Qu'on ne peut la voir un moment
Qu'elle ne sache qu'on l'a vue.
Je suis bien sûr encore, et j'en ferais serment

1. Tamiser.
2. Corset.
3. Ceux dont on pense qu'ils connaissent le secret.
4. Vive.

Qu'elle ne douta point que de son jeune Amant
La Bague ne fût bien reçue.

On ne pétrit jamais un si friand morceau,
Et le Prince trouva la galette si bonne
Qu'il ne s'en fallut rien que d'une faim gloutonne
Il n'avalât aussi l'anneau.
Quand il en vit l'émeraude admirable,
Et du jonc d'or le cercle étroit,
Qui marquait la forme du doigt,
Son cœur en fut touché d'une joie incroyable ;
Sous son chevet il le mit à l'instant,
Et son mal toujours augmentant,
Les Médecins sages d'expérience,
En le voyant maigrir de jour en jour,
Jugèrent tous par leur grande science
Qu'il était malade d'amour.

Comme l'Hymen, quelque mal qu'on en die,
Est un remède exquis[1] pour cette maladie,
On conclut à le marier ;
Il s'en fit quelque temps prier,
Puis dit : Je le veux bien, pourvu que l'on me donne
En mariage la personne
Pour qui cet anneau sera bon.
À cette bizarre demande,
De la Reine et du Roi la surprise fut grande,
Mais il était si mal qu'on n'osa dire non.

1. Un bon remède.

Voilà donc qu'on se met en quête
De celle que l'anneau, sans nul égard du sang[1],
Doit placer dans un si haut rang;
Il n'en est point qui ne s'apprête
À venir présenter son doigt
Ni qui veuille céder son droit.

Le bruit ayant couru que pour prétendre au Prince,
Il faut avoir le doigt bien mince;
Tout Charlatan, pour être bienvenu,
Dit qu'il a le secret de le rendre menu;
L'une, en suivant son bizarre caprice,
Comme une rave le ratisse,
L'autre en coupe un petit morceau,
Une autre en le pressant croit qu'elle l'apetisse,
Et l'autre avec de certaine eau
Pour le rendre moins gros en fait tomber la peau;
Il n'est enfin point de manœuvre
Qu'une Dame ne mette en œuvre,
Pour faire que son doigt cadre bien à l'anneau.

L'essai fut commencé par les jeunes Princesses,
Les Marquises et les Duchesses;
Mais leurs doigts quoique délicats,
Étaient trop gros et n'entraient pas.
Les Comtesses, et les Baronnes,
Et toutes les nobles Personnes,
Comme elles, tour à tour, présentèrent leur main,
Et la présentèrent en vain.

1. Sans égard à son origine sociale.

Ensuite vinrent les Grisettes[1],
Dont les jolis et menus doigts,
Car il en est de très bien faites,
Semblèrent à l'anneau s'ajuster quelquefois.
Mais la Bague toujours trop petite ou trop ronde
D'un dédain presque égal rebutait tout le monde.

Il fallut en venir enfin
Aux Servantes, aux Cuisinières,
Aux Tortillons, aux Dindonnières[2],
En un mot à tout le fretin[3],
Dont les rouges et noires pattes,
Non moins que les mains délicates,
Espéraient un heureux destin.
Il s'y présenta mainte fille
Dont le doigt gros et ramassé,
Dans la Bague du Prince eût aussi peu passé,
Qu'un câble au travers d'une aiguille.
On crut enfin que c'était fait,
Car il ne restait en effet,
Que la pauvre Peau d'Âne au fond de la cuisine ;
Mais comment croire, disait-on,
Qu'à régner le Ciel la destine !
Le Prince dit : Et pourquoi non ?
Qu'on la fasse venir. Chacun se prit à rire,
Criant tout haut : Que veut-on dire,
De[4] faire entrer ici cette sale guenon !

1. Jeunes filles pauvres en habits gris.
2. Les tortillons sont des servantes de village, et les dindonnières des jeunes filles de la campagne, gardiennes de dindons.
3. Le bas peuple.
4. Qu'est-ce que cela signifie ?

Mais lorsqu'elle tira de dessous sa peau noire
Une petite main qui semblait de l'ivoire,
Qu'un peu de pourpre a coloré,
Et que de la Bague fatale,
D'une justesse sans égale
Son petit doigt fut entouré,
La Cour fut dans une surprise
Qui ne peut pas être comprise.

On la menait au Roi dans ce transport[1] subit;
Mais elle demanda qu'avant que de paraître
Devant son Seigneur et son Maître,
On lui donnât le temps de prendre un autre habit.
De cet habit, pour la vérité dire,
De tous côtés on s'apprêtait à rire,
Mais lorsqu'elle arriva dans les Appartements,
Et qu'elle eut traversé les salles
Avec ses pompeux vêtements
Dont les riches beautés n'eurent jamais d'égales,
Que ses aimables cheveux blonds
Mêlés de diamants dont la vive lumière
En faisait autant de rayons,
Que ses yeux bleus, grands, doux et longs,
Qui, pleins d'une Majesté fière,
Ne regardent jamais sans plaire et sans blesser,
Et que sa taille enfin si menue et si fine
Qu'avecque les deux mains on eût pu l'embrasser[2],
Montrèrent leurs appas et leur grâce divine,

1. Agitation, élan.
2. L'entourer.

Des Dames de la Cour, et de leurs ornements
Tombèrent tous les agréments.

Dans la joie et le bruit de toute l'Assemblée,
Le bon Roi ne se sentait pas
De voir sa Bru posséder tant d'appas.
La Reine en était affolée,
Et le Prince, son cher Amant,
De cent plaisirs l'âme comblée,
Succombait sous le poids de son ravissement.
Pour l'Hymen aussitôt chacun prit ses mesures ;
Le Monarque en pria tous les Rois d'alentour,
Qui, tous brillants de diverses parures,
Quittèrent leurs États pour être à ce grand jour.
On en vit arriver des climats de l'Aurore,
Montés sur de grands Éléphants ;
Il en vint du rivage More[1]
Qui, plus noirs et plus laids encore,
Faisaient peur aux petits enfants ;
Enfin, de tous les coins du Monde
Il en débarque, et la Cour en abonde.

Mais nul Prince, nul Potentat[2]
N'y parut avec tant d'éclat
Que le Père de l'Épousée,
Qui, d'elle autrefois amoureux,
Avait, avec le temps, purifié les feux
Dont son âme était embrasée ;
Il en avait banni tout désir criminel,

---

1. Maure.
2. Monarque à la souveraineté absolue.

Et de cette odieuse flamme
Le peu qui restait dans son âme
N'en rendait que plus vif son amour paternel.
Dès qu'il la vit : Que béni soit le Ciel
Qui veut bien que je te revoie,
Ma chère enfant, dit-il, et tout pleurant de joie,
Courut tendrement l'embrasser ;
Chacun à son bonheur voulut s'intéresser,
Et le futur Époux était ravi d'apprendre
Que d'un Roi si puissant il devenait le Gendre.
Dans ce moment la Marraine arriva
Qui raconta toute l'histoire,
Et par son récit acheva
De combler Peau d'Âne de gloire.

Il n'est pas malaisé de voir
Que le but de ce Conte est qu'un Enfant apprenne
Qu'il vaut mieux s'exposer à la plus rude peine
Que de manquer à son devoir ;

Que la Vertu peut être infortunée
Mais qu'elle est toujours couronnée ;

Que contre un fol amour et ses fougueux transports
La Raison la plus forte est une faible digue,
Et qu'il n'est point de si riches trésors
Dont un amant ne soit prodigue ;
Que de l'eau claire et du pain bis
Suffisent pour la nourriture
De toute jeune Créature,
Pourvu qu'elle ait de beaux habits ;
Que sous le Ciel il n'est point de femelle

Qui ne s'imagine être belle,
Et qui souvent ne s'imagine encor
Que si des trois Beautés la fameuse querelle
S'était démêlée avec elle,
Elle aurait eu la pomme d'or[1].
Le Conte de Peau d'Âne est difficile à croire,
Mais tant que dans le Monde on aura des Enfants,
Des Mères et des Mères-grands,
On en gardera la mémoire.

---

1. Dans la mythologie grecque, concours de beauté opposant Aphrodite à Athéna et à Héra. Pâris désigna Aphrodite comme gagnante et lui remit une pomme en or.

Les Souhaits ridicules

CONTE

À MADEMOISELLE DE LA C...[1]

Si vous étiez moins raisonnable,
Je me garderais bien de venir vous conter
La folle et peu galante[2] fable
Que je m'en vais vous débiter.
Une aune[3] de Boudin en fournit la matière ;
Une aune de Boudin, ma chère !
Quelle pitié ! c'est une horreur,
S'écriait une Précieuse,
Qui toujours tendre et sérieuse,
Ne veut ouïr parler que d'affaires de cœur.
Mais vous qui mieux qu'Âme qui vive
Savez charmer en racontant,
Et dont l'expression est toujours si naïve
Que l'on croit voir ce qu'on entend,
Qui savez que c'est la manière
Dont quelque chose est inventé,

---

1. Il s'agit peut-être de Mlle de la Charce, femme de lettres.
2. Vulgaire.
3. Une aune était égale à 1,188 m.

Qui, beaucoup plus que la matière,
De tout Récit fait la beauté ;
Vous aimerez ma fable et sa moralité,
J'en ai, j'ose le dire, une assurance entière.

Il était une fois un pauvre Bûcheron
Qui, las de sa pénible vie,
Avait, disait-il, grande envie
De s'aller reposer aux bords de l'Achéron[1] ;
Représentant dans sa douleur profonde,
Que, depuis qu'il était au monde,
Le Ciel cruel n'avait jamais
Voulu remplir un seul de ses souhaits.

Un jour que, dans le Bois, il se mit à se plaindre,
À lui, la foudre en main, Jupiter s'apparut ;
On aurait peine à bien dépeindre
La peur que le bonhomme en eut.
— Je ne veux rien, dit-il, en se jetant par terre,
Point de souhaits, point de Tonnerre,
Seigneur, demeurons but à but[2].
— Cesse d'avoir aucune crainte.
Je viens, dit Jupiter, touché de ta complainte,
Te faire voir le tort que tu me fais ;
Écoute donc. Je te promets,
Moi qui du monde entier suis le souverain maître,
D'exaucer pleinement les trois premiers souhaits
Que tu voudras former sur quoi que ce puisse être ;
Vois ce qui peut te rendre heureux,

1. Dans la mythologie, un fleuve des Enfers.
2. Ainsi, sans rien changer.

Vois ce qui peut te satisfaire,
Et comme ton bonheur dépend tout[1] de tes vœux,
Songes-y bien avant que de les faire.

À ces mots Jupiter dans les Cieux remonta;
Et le gai Bûcheron, embrassant sa falourde[2],
Pour retourner chez lui sur son dos la jeta.
Cette charge jamais ne lui parut moins lourde.
— Il ne faut pas, disait-il, en trottant,
Dans tout ceci, rien faire à la légère;
Il faut, le cas est important,
En prendre avis de notre ménagère.
Çà, dit-il, en entrant sous son toit de fougère,
Faisons, Fanchon, grand feu, grand'chère,
Nous sommes riches à jamais.
Et nous n'avons qu'à faire des souhaits.
Là-dessus tout au long le fait il lui raconte;
À ce récit l'Épouse, vive et prompte,
Forma dans son esprit mille vastes projets;
Mais considérant l'importance
De s'y conduire avec prudence:
— Blaise, mon cher ami, dit-elle à son époux,
Ne gâtons rien par notre impatience;
Examinons bien entre nous
Ce qu'il faut faire en pareille occurrence;
Remettons à demain notre premier souhait
Et consultons notre chevet.
— Je l'entends bien ainsi, dit le bonhomme Blaise;
Mais va tirer du vin derrière ces fagots.

1. Totalement.
2. Fagot de bûches.

À son retour il but, et goûtant à son aise
Près d'un grand feu la douceur du repos,
Il dit, en s'appuyant sur le dos de sa chaise:
— Pendant que nous avons une si bonne braise,
Qu'une aune de Boudin viendrait bien à propos!

À peine acheva-t-il de prononcer ces mots,
Que sa femme aperçut, grandement étonnée,
Un Boudin fort long qui, partant
D'un des coins de la cheminée,
S'approchait d'elle en serpentant.
Elle fit un cri dans l'instant;
Mais jugeant que cette aventure
Avait pour cause le souhait
Que par bêtise toute pure
Son homme imprudent avait fait,
Il n'est point de pouille[1] et d'injure
Que de dépit et de courroux
Elle ne dit au pauvre époux.
— Quand on peut, disait-elle, obtenir un Empire,
De l'or, des perles, des rubis,
Des diamants, de beaux habits,
Est-ce alors du Boudin qu'il faut que l'on désire?
— Eh bien, j'ai tort, dit-il, j'ai mal placé mon choix,
J'ai commis une faute énorme,
Je ferai mieux une autre fois.
— Bon, bon, dit-elle, attendez-moi sous l'orme[2],
Pour faire un tel souhait il faut être bien bœuf[3]!

---

1. Reproche, insulte.
2. Proverbe : on l'énonce pour donner un rendez-vous dans un lieu où l'on est sûr de ne pas se rendre.
3. Rustre et idiot.

L'époux plus d'une fois emporté de colère
Pensa faire tout bas le souhait d'être veuf,
Et peut-être, entre nous, ne pouvait-il mieux faire :
— Les hommes, disait-il, pour souffrir sont bien nés !
Peste soit du Boudin et du Boudin encore,
    Plût à Dieu, maudite Pécore[1],
    Qu'il te pendît au bout du nez !

La prière aussitôt du Ciel fut écoutée
Et dès que le Mari la parole lâcha,
    Au nez de l'épouse irritée
    L'aune de Boudin s'attacha.
Ce prodige imprévu grandement le fâcha.
Fanchon était jolie, elle avait bonne grâce,
Et pour dire sans fard la vérité du fait,
    Cet ornement en cette place
    Ne faisait pas un bon effet ;
Si ce n'est qu'en pendant sur le bas du visage
    Il l'empêchait de parler aisément,
  Pour un époux merveilleux avantage,
Et si grand qu'il pensa, dans cet heureux moment,
    Ne souhaiter rien davantage.
  — Je pourrais bien, disait-il à part soi,
    Après un malheur si funeste,
    Avec le souhait qui me reste,
    Tout d'un plein saut[2] me faire Roi.
Rien n'égale, il est vrai, la grandeur souveraine.
    Mais encore faut-il songer
    Comment serait faite la Reine

1. Pimbêche.
2. Sans transition, d'un seul coup.

Et dans quelle douleur ce serait la plonger
De l'aller placer sur un trône
Avec un nez plus long qu'une aune.
Il faut l'écouter sur cela
Et qu'elle-même elle soit la maîtresse
De devenir une grande Princesse
En conservant l'horrible nez qu'elle a,
Ou de demeurer Bûcheronne
Avec un nez comme une autre personne,
Et tel qu'elle l'avait avant ce malheur-là.

La chose bien examinée,
Quoiqu'elle sût d'un sceptre[1] et la force et l'effet
Et que, quand on est couronnée,
On a toujours le nez bien fait;
Comme au désir de plaire il n'est rien qui ne cède,
Elle aima mieux garder son Bavolet[2]
Que d'être Reine et d'être laide.

Ainsi le Bûcheron ne changea point d'état,
Ne devint point grand Potentat,
D'écus ne remplit point sa bourse,
Trop heureux d'employer le souhait qui restait,
Faible bonheur, pauvre ressource,
À remettre sa femme en l'état qu'elle était.

Bien est donc vrai qu'aux hommes misérables
Aveugles, imprudents, inquiets[3], variables,

1. Symbole de la souveraineté.
2. Coiffure des paysannes.
3. Au sens de : qui ne sait demeurer en repos, dans la quiétude.

Pas n'appartient de faire des souhaits,
Et que peu d'entr'eux sont capables
De bien user des dons que le Ciel leur a faits.

Table des contes

Table des contes

De l'illustration au texte

Valérie Lagier

De l'illustration au texte

La Belle au bois dormant

… une étincelle pour l'imagination…

Avant de peupler notre imaginaire collectif et devenir l'indispensable référence merveilleuse de notre enfance, les *Contes* de Perrault ont d'abord été une œuvre littéraire, publiée pour la première fois en 1697 sous la plume de Pierre Darmancour, troisième fils de Charles Perrault alors âgé de dix-neuf ans. Si la paternité de l'ouvrage lui a très tôt été contestée au profit de son père — à qui l'œuvre est définitivement rendue depuis 1781 —, les historiens conviennent aujourd'hui d'une probable collaboration de Charles et Pierre Perrault dans l'élaboration des contes : le fils aurait ainsi couché sur le papier quelques histoires collectées auprès de nourrices et conteuses, que son père aurait mises en forme et assorties de moralités. Car l'origine orale des contes est clairement affirmée dès le frontispice gravé de la première édition : on y voit une nourrice qui, tout en filant sa quenouille, distille ses récits au coin d'un feu pour les oreilles émerveillées de trois enfants de bonne famille, élégamment vêtus à la mode du temps. Ainsi, au seuil de l'ouvrage, l'image vient orienter le lecteur et lui signaler ce que le texte ne saurait dire expressément : ces contes sont des contes de « bonne femme », le titre *Contes de ma Mère l'Oye* figurant en arrière-plan de la scène, sur un panneau punaisé au mur. Lors de sa première rencontre avec un public, lettré et adulte, le texte de Perrault n'est d'ailleurs pas seulement orné d'une page de garde illustrée, il est aussi assorti de vignettes qui viennent soutenir et éclairer l'intrigue de chacune des huit courtes histoires. *Histoires ou Contes du temps passé*, considéré comme un des tout premiers recueils de contes de la littérature française, inaugure dès 1697 une formule appelée à une immense fortune : celle du conte de fées illustré, où l'image agit comme une étincelle pour l'imagination du lecteur, lui ouvrant une brèche dans les arcanes d'un monde merveilleux et secret.

… donner une image à l'univers surnaturel de Perrault…

D'Antoine Clouzier, à qui l'on doit ces modestes vignettes gravées, à Félix Lorioux, dans les années 1920, qui apporte au texte sa vision tendre et humoristique, nombreux sont les artistes à avoir tenté de donner un corps et une image à l'univers surnaturel de Perrault : Gustave Doré, en 1862, en suggère l'angoisse dans ses immenses gravures en noir et blanc quand Arthur Rackham et Edmond Dulac, au début du XXe siècle, parviennent à en dégager la poésie féerique. Mais, si l'on analyse attentivement ce florilège d'images accompagnant ces courtes histoires au fil du temps, on remarque que les scènes incontournables de chaque récit puisent leur composition dans les modestes gravures de la première édition : la Belle est éveillée par son prince, le loup mange la grand-mère, Barbe bleue s'apprête à trancher le cou de son épouse, le Chat botté précède le carrosse du marquis de Carabas et soudoie les paysans sur son passage... Comme si ces petites saynètes naïves et maladroites cristallisaient, en peu de traits, l'esprit du conte, pointant aux yeux du lecteur l'épisode dramatique ou significatif, à la lumière duquel tout le reste du récit n'est qu'accessoire. Le choix de l'image, si crucial dans l'appréciation du conte puisqu'il trace le sentier dans lequel s'aventure l'imagination du lecteur, fixant les traits des personnages et le décor du drame, pourrait n'être là qu'un parti éditorial particulièrement judicieux. Il est plus que ça, il résulte d'une volonté explicite de l'auteur, dès la version manuscrite des *Contes*, datée de 1695 et offerte à Élisabeth-Charlotte d'Orléans, dédicataire de l'ouvrage.

... le petit volume calligraphié aux armes de la princesse...

Car, comme le précise la dédicace de l'ouvrage, c'est en l'honneur de cette nièce de Louis XIV, alors âgée de dix-neuf ans et appelée « Mademoiselle de Chartres », que ces contes ont été réunis par l'auteur. Cette dédicace n'est pas qu'une simple formule, car le petit volume calligraphié et relié en maroquin rouge aux armes de la princesse, retrouvé en 1953, vient témoigner qu'avant d'être un ouvrage édité pour des lecteurs anonymes, les *Contes* sont un hommage littéraire à un haut personnage de la cour, un cadeau personnalisé susceptible d'aider à leur publication. Ce manuscrit, copié par une main anonyme, mais probablement annoté par Perrault lui-même, réunit cinq des huit contes ultérieurement publiés : « La Belle au bois dormant », « Le Petit Chaperon rouge », « La Barbe bleue », « Le Chat botté » et « Les Fées », somptueusement ornés d'un frontispice, d'un cartouche et de cinq vignettes gouachées, dont les gravures de Clouzier ne feront que reprendre le modèle. Anonymes, ces délicates petites peintures sont bien imparfaitement servies par le burin du graveur et l'on ne peut que regretter de ne pas connaître l'identité du peintre qui fut capable, d'un trait incisif et élégant, de donner une forme et une réalité au merveilleux. Intégrées au texte calligraphié dont elles sont un complément éloquent, ces vignettes retrouvent naturellement le rôle autrefois dévolu à la miniature dans les manuscrits médiévaux. Mais en fixant ainsi les contours de l'imaginaire, ces images nous donnent à voir les contes avec les yeux de leur auteur, vivant et pensant dans une époque différente de la nôtre, et c'est un reflet de celle-ci, le XVIIe siècle, que ces saynètes emprisonnent dans leur reflet. Perrault, homme de son temps, partisan en littérature de la modernité du sujet contre les séductions de l'antique, demande en effet à l'illustration de situer ces contes immémoriaux dans le décor et les costumes qui lui sont familiers et contemporains.

... à la mode de Louis XIV...

Car la formule magique des contes de fées, qui ouvre les portes du temps vers un lointain sans date, « Il était une fois », introduisant chacune des cinq histoires à l'exception du « Chat botté », est contredite dès la première page par la vignette historiée, où prince et princesse arborent les atours et coiffures à la mode pendant le règne de Louis XIV. Ainsi, la Belle au bois dormant s'éveille de son long sommeil vêtue d'une élégante robe rose échancrée sur la poitrine, dont le décolleté est bordé d'une mousseline légère plissée, rehaussée d'une fleur rouge au centre du corsage, très en vogue dans les années 1690. Elle arbore une coiffure *à la Fontanges*, faite de mèches bouclées rassemblées au-dessus du front, à peine dérangée par cent années de sommeil. Quant à son prince charmant, il porte un justaucorps jaune d'or, recouvert d'un ample manteau rouge drapé, des bas beiges et des chaussures à talons et à boucles carrées. Sa perruque longue et frisée, rehaussée sur le front, lui donne clairement l'air d'un courtisan du Roi-Soleil. En assortissant les costumes des deux amants, l'image prend ainsi quelques libertés avec le texte. Car si l'on en croit celui-ci, les cent ans passés par la Belle loin des séductions du monde font paraître bien démodée la splendeur de sa mise : « Elle était tout habillée et fort magnifiquement, mais [le Prince] se garda bien de lui dire qu'elle était habillée comme ma mère-grand, et qu'elle avait un collet monté. »

... une « chambre toute dorée »...

Le décor lui-même n'a qu'un lointain rapport avec la description qu'en donne le conte. On sait que la princesse est installée par son père, dès que le charme la plonge dans l'éternité du sommeil, « dans le plus bel appartement du Palais, sur un lit en broderie d'or et d'argent». Cet appartement devient, dans les yeux du prince qui en brise le silence cent ans plus tard, une «chambre toute dorée». Ne pouvant user de ces teintes précieuses dans son illustration, le peintre tente pourtant d'évoquer la splendeur des lieux par un recours presque abusif aux effets de drapés, caressant d'un reflet chatoyant l'épiderme satiné des étoffes. Il surmonte la tête de lit, que l'on devine de bois doré, d'une imposante couronne qui seule affirme l'appartenance royale de cette jeune fille, en tous points vêtue comme n'importe quelle élégante de la cour. La somptueuse draperie pourpre, qui enveloppe la scène comme un écrin velouté, agit ici comme un écran isolant le couple de l'immense architecture du palais, dont seul nous parvient un lointain écho à travers la fenêtre surmontée d'une arche, aperçue en arrière-plan. Cette baie vitrée peut évoquer par ailleurs les portes miroitantes de la galerie des Glaces à Versailles, devenue dans le conte un «Salon de miroirs», contigu à la chambre où repose la Belle depuis tant d'années. Quant à l'imposante tenture, que le texte ne s'embarrasse guère à décrire, se contentant de dire que les «rideaux étaient ouverts de tous côtés», ne semble-t-elle pas tout droit tirée d'un tableau de Jacques Blanchard, peintre du règne de Louis XIII, dont le pinceau excellait dans le rendu des étoffes sensuelles?

... aspirée par l'univers du conte...

On peut s'étonner de ce choix iconographique, qui remet en cause l'intemporalité du conte et les maigres indications données par l'auteur. Contrôlé et voulu par celui-ci, le parti pris illustratif n'a-t-il pas là quelque autre raison d'être ? Premier parmi les contes transcrits pour la nièce du roi, « La Belle au bois dormant » est la seule histoire dans ce petit volume à choisir une princesse pour héroïne. Les quatre autres contes ont respectivement pour héros une « petite fille de village » (« Le Petit Chaperon rouge »), une « dame de qualité » (« La Barbe bleue »), le fils d'un « meunier » (« Le Chat botté ») et la fille d'une « veuve » (« Les Fées »), dont on devine qu'elle n'est en rien favorisée par le sort, puisqu'on « la faisait manger à la Cuisine et travailler sans cesse ». Pourvue par les fées à sa naissance de dons exceptionnels : beauté, esprit, grâce, talent de danseuse, de chanteuse et de musicienne, la Belle incarne en tous points l'idéal féminin de l'époque. Et afin que la jeune princesse n'ait point de mal à se reconnaître dans ce portrait flatteur, Perrault (par la bouche de son fils) ne peut s'empêcher de la doter des mêmes qualités, dans la dédicace qu'il lui adresse en tête du recueil : « Et jamais Fée au temps jadis / Fit-elle à jeune Créature, / Plus de dons, et de dons exquis, / Que vous en a fait la Nature ? » Dons identiques, costumes et coiffures si proches de ceux portés par la princesse dans les portraits qui nous ont conservé son image, décor familier et contemporain, tout concourt à faire de l'histoire de « La Belle au bois dormant » une sorte d'aventure inventée tout exprès pour séduire la princesse et faciliter son identification à l'héroïne. Ainsi aspirée par l'univers du conte, celle-ci est désormais prête à entrer, comme le lui propose la dédicace, « jusque dans des huttes et des cabanes, pour y voir de près et par [elle]-même ce qui s'y pass[e] de plus particulier », et donc « connaître comment vivent les Peuples». Car sous couvert de merveilleux et de fables intemporelles, Perrault souhaite instruire la princesse de choses graves et contemporaines, la jalousie parfois meurtrière des marâtres («La Belle au bois dormant»), la cruauté des mariages forcés de jeunes filles avec d'affreux barbons («La Barbe bleue»), la dure vie d'un cadet sans fortune («Le Chat botté»)... Et l'effet en est d'autant plus émouvant que l'image en situe clairement l'action dans le temps qui est le sien. Le paysan qui fauche son champ sur le passage du carrosse du marquis de Carabas, soudoyé par le Chat botté, est vêtu comme tous les journaliers du royaume, et la vieille qui se voit offrir une cruche d'eau par la jeune fille auprès de la fontaine n'est en rien différente des paysannes du temps.

... *les princesses sont à jamais vêtues de somptueuses robes longues...*

Petites lucarnes en couleurs, les vignettes historiées du manuscrit ont donc pour effet de nous faire pénétrer de plain-pied dans la réalité des contes, dans l'épaisseur cohérente de l'histoire, nous permettant, comme à la princesse pour qui elles ont été imaginées à l'origine, de nous identifier à des héros de chair et de sang, dont nous pouvons alors suivre les aventures sans en refuser les péripéties les plus incroyables. Mais la distance instaurée par le temps, entre notre quotidien et celui si merveilleusement capté par le peintre, nous a fait perdre cette familiarité ressentie par la lectrice privilégiée à laquelle elles étaient destinées. Et pour nous, désormais, et pour tous les illustrateurs ultérieurs des contes, les princesses sont à jamais vêtues de somptueuses robes longues, ornées de rubans et de pierres précieuses, les carrosses du temps du Roi-Soleil sont les seuls véhicules dignes de transporter les princesses et les palais ne peuvent avoir que la splendeur de Versailles... Comme si Perrault, en fixant par les mots des contes issus de la tradition orale, en avait aussi, par l'illustration, figé la progression dans le temps, emprisonnant à jamais leurs héros dans les décors et les costumes de son époque.

Le texte
en perspective

Hélène Tronc

Vie littéraire

La naissance du conte de fées littéraire

« LE PETIT CHAPERON ROUGE », « Cendrillon », « La Barbe bleue », « La Belle au bois dormant », « Le Chat botté », « Le Petit Poucet », tous ces contes universellement connus ont été publiés pour la première fois à la fin du XVIIe siècle, sous le règne de Louis XIV. Les *Histoires ou Contes du temps passé* de Charles Perrault, parfois aussi appelés les *Contes de ma mère l'Oye* et publiés en 1697, sont devenus si célèbres qu'ils ont éclipsé les autres contes parus à l'époque. Or Perrault n'est ni le premier ni le seul à écrire des contes : en fait, c'est une véritable mode qui apparaît à la fin du règne de Louis XIV. Les contes, qui appartenaient jusque-là à la culture orale, entrent dans la culture écrite. De 1690 à 1715 paraissent des dizaines de contes, destinés principalement aux adultes friands de ce genre de divertissement littéraire. *Contes des fées*, *Les Fées*, *Contes des contes*, *Contes nouveaux ou Les Fées à la mode*, les *Illustres Fées*, *Contes moins contes que les autres* : les recueils de contes se multiplient. Les personnages les plus importants de la cour se passionnent pour des histoires farfelues de prince métamorphosé en marcassin ou de paysanne qui crache des diamants en parlant. On raconte même qu'un dignitaire de l'Église qui avait trouvé dans un couvent un volume de contes le garda pour lui au lieu de le confisquer car il ne l'avait pas encore lu.

1.

La mode du conte de fées sous Louis XIV

1. *L'art de la conversation*

Au XVIIe siècle, à la cour de Versailles et dans les salons parisiens, on s'adonne à l'art de la conversation comme à un jeu de société. Nobles et riches bourgeois cultivent l'art de parler avec élégance et raffinement devant un auditoire choisi. Ces divertissements peuvent prendre plusieurs formes : on invente des proverbes, on dresse des portraits, on élabore des caractères ou des maximes, on raconte des histoires fantaisistes. Dans tous les cas, une personne raconte quelque chose avant qu'une autre prenne le relais et ainsi de suite. C'est dans ce cadre que le conte, jusque-là pratiqué par les paysans dans les campagnes, devient l'une des activités favorites de la haute société. On s'amuse à se raconter des histoires merveilleuses, peuplées de fées et de princesses. En 1690, le premier conte est publié. La mode du conte de fées littéraire est lancée et durera jusqu'à la fin du règne de Louis XIV avant de renaître sous d'autres formes au cours du XVIIIe siècle. La majorité des auteurs de contes sont des femmes. Ce sont souvent elles qui tiennent les salons. Elles trouvent aussi dans les contes (comme elles l'avaient fait avec les romans au début du siècle) un espace littéraire qui leur est plus ouvert que celui des genres traditionnels comme la tragédie, l'épopée ou la chronique historique, domaines réservés des hommes. Parmi ces femmes conteuses, on peut citer Mme d'Aulnoy, qui publia le premier conte et écrivit plusieurs recueils, ou Mlle L'Héritier, une nièce de Perrault avec qui il collabora sûrement. On mesure l'ampleur de la mode des contes de fées à la virulence de ceux qui la critiquent. Ainsi l'abbé de Villiers parle-t-il de « ce ramas de contes qui nous assassinent depuis un an ou deux », tandis que l'abbé de Bellegarde affirme :

> Nous avons à nous reprocher la fureur avec laquelle on a lu en France pendant quelque temps les Contes de Fées [...]. La Cour s'est laissée infatuer de ces sottises ; la ville a suivi le mauvais exemple de la Cour, et a lu avec avidité ces aventures monstrueuses.

2. *La féerie à la cour du Roi-Soleil*

Le début du règne de Louis XIV — le roi règne personnellement depuis 1661 — a été marqué par des fêtes somptueuses, où la frontière entre le réel et la féerie s'est estompée. À la fin du siècle, quand paraissent les contes, on a renoncé à ces divertissements féeriques pour des raisons financières et politiques, mais le souvenir de leur faste reste vif. Les conteurs remontent vers ce temps enchanté du début du règne : en 1664 a eu lieu la première grande fête organisée à Versailles. Intitulée « Les Plaisirs de l'Isle enchantée », elle dura sept jours, et resta une référence tant par sa munificence que par la variété des spectacles qui y furent proposés. Le roi et sa cour sont déguisés en personnages de roman. Les journées se succèdent au rythme des concerts, des ballets, des pièces de théâtre, des banquets, des tournois équestres, des parades d'animaux exotiques, des acrobaties, des jeux aquatiques dans les bassins du parc. La fête se clôt par un gigantesque feu d'artifice. Un témoin rapporte :

> Il semblait que le ciel, la terre et l'eau fussent tous en feu [...]. La hauteur et le nombre des fusées volantes, celles qui roulaient sur le rivage, et celles qui ressortaient de l'eau après s'y être enfoncées, faisaient un spectacle si grand et si magnifique, que rien ne pouvait mieux terminer les enchantements qu'un si beau feu d'artifice.

Artistes et metteurs en scène rivalisent d'ingéniosité pour surprendre et enchanter la cour. En 1668 a lieu une fête inouïe qui ne dure qu'une journée mais stupéfie les spectateurs par les jeux d'eau et de lumière, à l'intérieur du château et dans le parc. Des chandeliers de cristal portant des centaines de bougies scintillent de tous côtés et sont reflétés dans les bassins des jardins. La fête culmine dans un embrasement général. Cinq cents charges explosives sont allumées et jaillissent en tous sens : certaines dessinent même le double L qui forme les initiales du roi.

3. *Le goût du merveilleux*

Le goût du spectacle et des mises en scène éclatantes est partout présent. On se ruine pour donner des spectacles, on va au théâtre ou à l'opéra voir des mises en scène extravagantes. C'est Mazarin (qui assure la Régence avant que Louis XIV soit en âge de régner) qui a fait venir de son pays d'origine, l'Italie, des metteurs en scène capables de concevoir les machineries les plus folles. Déplacements dans les airs, métamorphoses, changements de décors, apparitions et disparitions : avec eux, tout est possible. « Nous construisons des palais fantastiques en diamants et en pierres précieuses », dit un homme de théâtre. Les changements de décor ont parfois des ratés, comme le signale malicieusement La Fontaine : « Un reste de forêt demeure dans la mer, / Ou la moitié du ciel au milieu de l'enfer », mais le public en redemande.

La décoration des palais est de plus en plus fastueuse. Des miroitiers italiens viennent s'installer en France et fournissent les glaces de la grande galerie de Versailles entre 1678 et 1684. On découvre à cette époque le procédé permettant de faire de très grands miroirs (« Cendrillon » et « La Barbe bleue » contiennent des allusions à ces miroirs où l'on se voit en entier). Versailles émerveille par ses orangers en pots, ses porcelaines, ses statues de marbre, ses meubles en bois précieux, ses lambris dorés qui le font ressembler au palais des fées. Louis XIV a été bercé de contes de fées par ses nourrices dans sa petite enfance. Il s'inspire de ce monde merveilleux et de la mythologie antique (il se déguise volontiers en Apollon ou en Alexandre le Grand) pour faire rayonner sa gloire. Son règne alimente à son tour l'imaginaire des contes de fées qui sont à la mode autour de 1690.

4. *Une société hiérarchisée*

Quand Louis XIV arrive au pouvoir après la mort de Mazarin en 1661, tout est fait pour exalter la monarchie absolue. La haute société (on dit alors

« les mondains ») participe à cette glorification du pouvoir royal. La cour est un univers clos où l'on reste entre soi. Aux XVIe et XVIIe siècles, l'écart entre la noblesse et le peuple se creuse. L'architecture des palais et des riches demeures les ferme de plus en plus à l'extérieur. Les fêtes et célébrations publiques où la noblesse et le peuple se côtoyaient se font plus rares. Les membres de la cour ont l'illusion d'appartenir à un monde supérieur et le culte qu'ils rendent à leur souverain de droit divin contribue à créer ce décalage. Un personnage de roman de l'époque affirme : « Nous avons quelque chose de divin et de céleste, mais quant à eux ils sont tout terrestres et brutaux. » Le luxe de la cour contraste avec la vie dans les campagnes où pèsent les guerres et les famines à répétition ainsi que les prélèvements d'impôts exorbitants. Pourtant, malgré cette étrangeté radicale de deux mondes qui ne se mélangent pas, les enfants de la noblesse et de la bourgeoisie sont en contact avec la population des campagnes puisqu'on évite en général d'élever les enfants à la ville et qu'on les envoie passer leurs premières années auprès de nourrices à la campagne. Les nourrices et plus tard les gouvernantes racontent aux enfants les contes de la tradition populaire. C'est dans ce contexte que les mondains parisiens s'intéressent, non sans condescendance, aux contes populaires. Toute cette élite mondaine prend plaisir à retrouver dans les contes de fées une vision idéalisée de son propre mode de vie.

2.

Un genre méprisé

À la fin du règne de Louis XIV, le mode de vie des courtisans est attaqué de toutes parts. Une période d'austérité s'est ouverte. Les caisses du royaume sont vides. Les guerres incessantes ont ruiné le pays. À Versailles, l'ère des grandes fêtes est terminée. On fait même fondre la vaisselle en or et en argent pour la remplacer par de la porcelaine. Mme de Maintenon, la nouvelle épouse du roi, combat les excès et la vanité de la vie à la cour. Les distractions mondaines comme l'opéra, le théâtre, les romans sont vivement critiquées. Les spectacles dans leur ensemble sont jugés immoraux. En 1694, la comédie est presque interdite. Les contes, comme les romans, sont jugés nocifs et corrupteurs. Dans son traité *De l'éducation des filles* où il réfléchit aux valeurs qu'il faut inculquer aux filles, Fénelon, le précepteur de l'un des petits-fils du roi, suggère : « Pour les fables païennes, une fille sera heureuse de les ignorer toute sa vie, à cause qu'elles sont impures et pleines d'absurdités impies. » La fantaisie débridée de certains contes de fées est donc une forme de résistance littéraire à cette austérité moralisatrice grandissante.

Le conte de fées est méprisé dans la hiérarchie des genres littéraires, même au plus fort de la mode. On ne lui reconnaît pas la noblesse des genres sérieux hérités de l'Antiquité. Le *Dictionnaire de l'Académie* définit ainsi les contes en 1694 :

> Le vulgaire appelle « Conte au vieux loup, conte de vieilles, contes de la cigogne, à la cigogne, conte

> de peau d'âne, conte à dormir debout, conte jaune, bleu, violet, conte borgne [...] » des fables ridicules telles que celles dont les vieilles gens entretiennent et amusent les enfants.

L'univers merveilleux des contes est tout au plus jugé digne des enfants dont le jugement n'est pas encore formé. Ou des femmes. Le discrédit du genre est tel que Perrault doit sans cesse justifier son choix d'écrire des contes :

> [Les gens de goût] ont été bien aises de remarquer que ces bagatelles n'étaient pas de pures bagatelles, qu'elles renfermaient une morale utile, et que le récit enjoué dont elles étaient enveloppées n'avait été choisi que pour les faire entrer plus agréablement dans l'esprit et d'une manière qui instruisît et divertît tout ensemble.

À la manière de La Fontaine avec ses *Fables*, l'auteur des *Contes* a besoin de justifier ses histoires par les leçons morales qu'elles renferment. Le plaisir à lui seul ne saurait suffire.

3.

Les Anciens et les Modernes

1. *S'affranchir de l'Antiquité*

À la fin du XVIIe siècle, la vie culturelle et intellectuelle est dominée par un débat dans lequel Perrault joue un rôle de premier plan : la Querelle des Anciens et des Modernes. Elle oppose les défenseurs de l'Antiquité et ceux de la modernité. Les Anciens soutiennent la grandeur des réalisations intellectuelles et artistiques des Grecs et des Romains. Ils sont attachés à l'héritage antique et à ses modèles. Les Modernes font valoir la supériorité du siècle de Louis XIV sur tous ceux qui l'ont précédé et veulent s'affranchir des références antiques pour célébrer la modernité triomphante. Perrault est à la tête du camp des Modernes. C'est lui qui a déclenché la bataille avec un poème à la gloire de son roi et de son siècle intitulé *Le Siècle de Louis le Grand.* Il y écrit :

> Je vois les Anciens sans ployer les genoux,
> Ils sont grands, il est vrai, mais hommes comme nous ;
> Et l'on peut comparer sans crainte d'être injuste
> Le siècle de Louis au beau siècle d'Auguste…

La formulation est pleine de retenue, mais le propos n'en est que plus clair. Non seulement Louis XIV égale Auguste, mais il le surpasse. Dans le domaine littéraire, la conséquence de ces prises de position est que les Modernes veulent fonder une littérature qui ne soit pas dérivée de celle de l'Antiquité, une littérature nationale qui puise dans le fonds français et la culture chrétienne. On comprend que, dans la perspective d'un Perrault, les contes, parce qu'ils sont issus de la tradition populaire française, apparaissent comme un genre moderne, supérieur aux récits païens de l'Antiquité.

2. *Affirmer la prééminence de la langue française*

Le paradoxe, dans ce royaume qui se juge sans égal, est que la langue dominante de la vie politique et culturelle n'est pas la langue nationale mais le latin. Le XVIIe siècle devient le théâtre d'une vraie guerre linguistique. En 1634, Richelieu a créé l'Académie française. Son but est que le français remplace le latin comme langue universelle. Le rayonnement de la langue et le rayonnement du pouvoir vont de pair. Pour promouvoir le français, depuis les années 1620, on traduit beaucoup d'ouvrages en français. On encourage les érudits à publier directement en français et non en latin. Le français perce peu à peu comme la langue de la diplomatie et du débat d'idées. Il détrône d'abord l'italien, qui était jusque dans les années 1640 la langue la plus utilisée en Europe après le latin, puis concurrence le latin lui-même. Grâce aux nombreuses traductions, on se met à connaître les textes antiques en français plutôt qu'en latin ou en grec. Pour les auteurs du XVIe siècle, une telle situation aurait été inimaginable tant la prééminence du latin était grande. Au XVIIe siècle cependant, malgré les évolutions, le français ne règne pas encore sans partage. C'est même tout le contraire dans l'éducation.

3. *L'emprise du latin*

Au siècle de Louis XIV les élèves, de la sixième à la classe de rhétorique, n'étudient que des auteurs latins et grecs. En sixième et en cinquième, ils lisent les fables latines de Phèdre, en quatrième celles du Grec Ésope. En troisième ils découvrent les *Métamorphoses* d'Ovide et l'*Énéide* de Virgile, et ils terminent leur scolarité, en seconde et en rhétorique, par l'apprentissage de l'*Iliade* et l'*Odyssée* d'Homère. Toute la scolarité se fait en latin : c'est ainsi que non seulement on apprend la grammaire latine en latin mais aussi la grammaire française en latin ! On apprend même à lire en latin avant de le faire en français. De plus en plus de voix dénoncent cela comme une absurdité totale mais, au XVIIe, l'enseignement (dont profitent exclusivement les enfants des familles aisées) valorise encore le latin aux dépens du français et les auteurs antiques aux dépens des auteurs français. La bataille ne fait que commencer.

L'écrivain à sa table de travail

Du conte populaire au conte littéraire

LA PREMIÈRE PAGE illustrée (on l'appelle le frontispice) de l'édition originale des *Histoires ou Contes du temps passé* nous révèle d'emblée beaucoup sur la nature de ces contes. On y voit une paysanne en coiffe et en sabots, qui est peut-être une nourrice, et qui file la laine, le soir, à la lueur d'une bougie, devant une cheminée. On devine qu'elle est en train de raconter des « histoires du temps passé » aux trois enfants qui ont les yeux fixés sur elle. Le décor n'est pas rural. Les trois enfants ne sont pas paysans. Leurs vêtements indiquent qu'ils appartiennent à une famille aisée. Sur la porte du fond, on peut lire l'inscription *Contes de ma mère l'Oye*, qui est le premier titre que Perrault donna à ses *Contes*. Cette image représente bien la double nature des *Contes* de Perrault : ils viennent de la tradition populaire française, et non de la culture savante en latin ou en grec. En même temps, ils sont destinés à un public très différent, le public de la société aisée et lettrée. Tout le travail de l'écrivain aura consisté à transformer ces contes populaires en contes littéraires.

La première page des *Contes* est une lettre de dédicace à « Mademoiselle ». Mademoiselle est la nièce de Louis XIV, née en 1674. L'auteur du recueil espère se placer sous sa protection en lui dédiant son ouvrage et en lui tournant un habile compliment. Mais qui est donc cet auteur ? Il dit être un « Enfant » et la lettre de dédicace est étrangement signée P. Darmancour, c'est-à-dire Pierre Perrault, le fils de Charles qui a alors dix-neuf ans ! L'habileté de cette dédicace laisse soupçonner que derrière le fils se profile le père et que, si les deux ont peut-être collaboré, il était plus convenable pour un jeune homme que pour son père de publier de telles « bagatelles ».

1.

Contes oraux et contes écrits

1. *La culture populaire*

La plupart des contes de Perrault ont des sources orales, les contes populaires qui étaient racontés dans les campagnes, souvent le soir à la veillée, quand les enfants étaient couchés. Au XVIIe siècle, la tradition des contes est encore très vivace dans les campagnes. Les ouvrages imprimés ne sont pas aussi répandus qu'aujourd'hui. Les seuls livres non religieux qui circulent sont les petites brochures comme celles de la Bibliothèque bleue, une collection bon marché, née au début du XVIIe siècle à l'initiative d'un imprimeur-libraire de Troyes. Imprimés sur du papier bleu-gris de mauvaise qualité (qui sert à envelopper les pains de sucre), ces fascicules sont vendus par des colporteurs dans les foires et les marchés des villages. Ils contiennent des illustrations dessinées et des textes en tous genres, préparations médicales, prophéties, almanachs, chansons, blagues, proverbes, jeux, histoire sainte, légendes et récits variés. La culture populaire se transmet principalement de manière orale. Les conteurs jouent un grand rôle dans cette transmission. Ils ne sont pas des professionnels mais ils sont reconnus par la communauté pour leur habileté à raconter les histoires et à tenir leur auditoire en haleine.

C'est dans ces contes populaires qui étaient racontés dans les campagnes que Perrault a trouvé la matière des siens. Il ne les a pas inventés, mais collectés, peut-être avec l'aide de son fils, puis écrits.

2. *La trace des sources orales dans les* Contes

L'origine orale de presque tous les contes de Perrault est facilement détectable à plusieurs indices. Les conteurs s'appuient souvent, pour raconter leurs histoires sans rien oublier, sur des éléments répétés plusieurs fois qui leur servent de points de repère. On retrouve ce genre de procédé dans les textes de Perrault. Dans « Le Petit Chaperon rouge », par exemple, on remarque que le détail du petit pot de beurre est répété quatre fois ; de même, le dialogue final entre la fillette et le loup déguisé en grand-mère joue sur la répétition des questions et des réponses qui commencent toutes de la même façon. Dans « La Barbe bleue », la question de l'héroïne à sa sœur, « Anne, ma sœur Anne, ne vois-tu rien venir ? » sert à rythmer le récit du conteur comme un refrain. Tous les contes contiennent en outre de nombreux discours directs où le conteur pouvait aisément varier les voix qu'il prenait selon les personnages qui parlaient.

3. *Un style simple mais littéraire*

Cependant, il ne faut pas s'y tromper, les contes de Perrault ne ressemblent que de loin aux contes populaires dont ils s'inspirent. Tout d'abord, en les écrivant, Perrault les fixe une fois pour toutes : ils n'évoluent plus (sauf quand ils sont à leur tour racontés !), alors que les contes oraux ne sont jamais racontés deux fois de la même manière. Un conteur s'adapte à son auditoire et varie ses effets. Le conte oral n'a pas une forme figée ; c'est une parole vivante. L'écrivain, lui, donne à ce qu'il écrit une forme définitive. D'autre part, les contes de Perrault sont en fait très retravaillés et très écrits. S'il est difficile de s'en apercevoir, c'est parce que l'auteur a veillé à leur donner un style très limpide, très élégant mais très sobre, qui reflète l'idéal classique de la conversation au XVIIe siècle. « Il y a de l'art dans cette sorte de simplicité », prévient Mme d'Aulnoy, la pionnière du conte littéraire. Le travail de l'écrivain doit être invisible. Perrault veut donner l'illusion du naturel et de la naïveté enfantine pour ces histoires de fées qui ne sont que des « bagatelles ». Chaque conte est très court, limité à l'essentiel, dans un mélange d'économie de moyens et de goût du détail qui fait ressortir chaque précision.

Un autre signe du travail littéraire de Perrault est qu'il emploie de nombreuses tournures et du vocabulaire qui ne sont plus usités à son époque. On le remarque avec la célèbre formule « Tire la chevillette et la bobinette cherra » qui est désuète, même pour un lecteur du XVIIe siècle. En même temps qu'il insère de nombreux détails contemporains, Perrault cherche à donner une couleur légèrement nostalgique à ses contes.

Enfin, l'une des caractéristiques remarquables du texte de Perrault par rapport à ses sources populaires est l'omniprésence de l'humour. Perrault adresse volontiers des clins d'œil à ses lecteurs. Dans « Le Petit Poucet » par exemple, alors que l'ogre est épuisé par sa poursuite malgré ses bottes de sept lieues, Perrault précise : « car les bottes de sept lieues fatiguent fort leur homme ». L'auteur sourit de son histoire en même temps qu'il la raconte car il ne faudrait pas la prendre trop au sérieux. Tout le travail littéraire adapte donc les contes à leurs premiers lecteurs : la haute société cultivée.

2.

La transformation des sources populaires

1. *Un « Petit Chaperon rouge » populaire*

On a vu que Perrault n'avait pas juste pris en note et publié les contes tels qu'il les avait entendus. Il les a réécrits, en a changé le style et la langue et les contes parlés sont devenus des contes littéraires. Mais Perrault a fait subir d'autres transformations aux contes populaires dont il tire sa matière. Nous allons regarder de plus près sa manière de procéder avec l'exemple du « Petit Chaperon rouge ». Il est impossible de savoir comment les conteurs du XVIIe siècle racontaient leurs contes. Nous n'en avons pas de trace directe. Cependant, à la fin du XVIIIe, au XIXe et jusqu'au début du XXe siècle, des contes ont été recueillis dans les campagnes et retranscrits tels quels. On possède ainsi environ trente-cinq versions du « Petit Chaperon rouge », qui proviennent de différentes régions et de différents conteurs. Lorsque le conte provient d'une région très enclavée, il est évident qu'il n'a pas subi beaucoup d'influences extérieures et qu'il n'a pas beaucoup changé. On peut donc trouver des exemples approchant ce que devait être « Le Petit Chaperon rouge » dans les campagnes au temps de Perrault. Voici un extrait d'une version du « Petit Chaperon rouge » qui a été recueillie dans la Nièvre au XIXe siècle et ressemble à de nombreuses autres versions anciennes de ce conte (le titre est différent de celui de Perrault) :

> **Conte de la grand-mère**
>
> ... Tandis que l'enfant prenait le chemin des Épingles, le loup partit à fond de train par celui des Aiguilles, arriva chez la grand-mère, la surprit et la tua. Puis il versa le sang de la pauvre femme dans des bouteilles du dressoir et mit sa chair dans un grand pot devant le feu. Après quoi il se coucha dans le lit. Il venait de tirer les courtines et de s'envelopper dans la couverture, quand il entendit frapper à la porte : c'était la petite fille qui arrivait. Elle entra :
> — Bonjour grand-mère.
> — Bonjour, mon enfant.
> — Êtes-vous donc malade, que vous restez au lit ?
> — Je suis un peu fatiguée, mon enfant.
> — J'apporte votre époigne ; où faut-il la mettre ?
> — Mets-la dans l'arche, mon enfant. Chauffe-toi, prends de la viande dans le pot, du vin dans une bouteille du dressoir, mange et bois, et tu viendras te coucher dans mon lit.
> La petite fille mangea et but de bon appétit.

> Le chat de la maison, passant la tête par la chatière, disait :
> — Tu manges la chair, tu bois le sang de ta grand, mon enfant !
> — Entendez-vous grand-mère ce que dit le chat ?
> — Prends un bâton et chasse-le !
> Mais à peine avait-il disparu que le coq vint dire à son tour :
> — Tu manges la chair, tu bois le sang de ta grand, mon enfant !
> — Grand-mère, entendez-vous le coq ?
> — Prends un bâton et chasse-le... Et maintenant que tu as bu et mangé, viens te coucher...

2. *La version atténuée de Perrault*

On s'aperçoit que Perrault a modifié profondément la version traditionnelle du conte, et en particulier sur deux points :

- Dans sa version, le loup mentionne les deux chemins qui conduisent chez la grand-mère en disant « ce chemin ici » et « ce chemin-là ». Dans la version populaire, les deux chemins ne sont pas nommés de manière si anodine. Ils sont le chemin des « Épingles » et celui des « Aiguilles ». Dans certaines régions, on observe des variantes : en pays d'oc, la question porte sur le chemin des « pierrettes » et sur celui des « épinettes », alors que dans le Tyrol, le choix est entre le chemin des « ronces » et celui des « pierres ». Dans toutes les versions populaires, les deux chemins sont associés à des objets piquants ou pointus. Perrault a supprimé cette question mystérieuse de son conte.
- L'autre modification, plus radicale encore, concerne la scène qui se déroule dans la maison de la grand-mère. On se souvient du déroulement

des événements dans le conte de Perrault : le Petit Chaperon rouge entre, pose ses provisions et se met dans le lit de la grand-mère (en fait du loup), avant de lui poser les célèbres questions sur son apparence étonnante. Dans la version populaire citée plus haut, et dans toutes les autres versions populaires de ce conte, la petite fille, avant ce dialogue, se met à manger, soit parce qu'elle a faim, soit parce que le loup l'y invite. Et ce qu'elle mange, sans le savoir, c'est l'autre moitié de sa grand-mère, que le loup a laissée sous la forme d'un pichet de sang et de morceaux de chair dans un pot. Elle entre ensuite dans le lit du loup et la première question qu'elle lui pose porte sur ses poils. « Oh ! ma grand, que vous êtes poilouse ! » lui dit-elle dans certaines régions. Perrault a supprimé cette question sur la grand-mère poilue et il a aussi totalement éliminé toute allusion au fait que la petite fille mange sa grand-mère, parfois en fricassée ou en boudin selon les régions. La fin malheureuse, rare dans les *Contes*, est en revanche conforme à de nombreuses versions orales de ce conte. Elle se justifie par le fait que c'est un conte d'avertissement, destiné à faire peur aux enfants pour les mettre en garde contre certains dangers.

On voit donc que le conte de Perrault, destiné au public de la cour et des salons, diffère largement du conte populaire dont il s'inspire. Perrault a supprimé tout ce qui pouvait choquer la bonne société de son époque.

3.

La leçon des contes

1. *Les moralités*

Le but des contes, affirme sans cesse Perrault, n'est pas seulement de distraire, c'est aussi d'instruire. Le signe le plus évident de ce souci de donner au conte un rôle pédagogique, c'est la présence, à la fin de chaque conte, d'une moralité. Les contes populaires n'en comprennent pas. Perrault rajoute à la fin de tous ses contes une, voire deux moralités. Elles sont censées tirer les leçons du conte, à la manière des moralités des *Fables* de La Fontaine. Parfois en léger décalage avec le contenu du conte, écrites en vers et dans une langue plus recherchée que le récit, elles semblent s'adresser à un public exclusivement adulte et prendre de la distance avec le monde merveilleux du conte. Elles soulignent que le conte n'est pas un genre immoral, puisqu'on en tire des enseignements, mais elles le font avec une ironie amusée. Elles incarnent bien l'ambiguïté des *Contes* de Perrault, qui s'adressent d'abord à des adultes mais qui visent aussi les enfants, et qui cachent leur désir de divertir sous un masque pédagogique.

2. *Le modèle social*

Les *Contes* de Perrault portent aussi d'autres enseignements, moins explicites que ceux des moralités. Chaque conte est porteur de valeurs qui reflètent celles de la société de l'époque : il met en scène des bons et des méchants, des hommes et des femmes, des riches et des pauvres, etc., et propose par là même des modèles de comportements. On s'aperçoit vite de la répartition des rôles : la noblesse et la richesse sont toujours valorisées. Les femmes doivent être jolies, modestes et soumises. Avant d'être des fées, elles sont surtout des fées du logis, à l'image de Cendrillon. Aux hommes l'intelligence, la ruse et la noblesse. Le Petit Poucet et le Chat botté, les deux personnages les plus futés des *Contes*, sont des héros masculins. Les seules créatures féminines un peu actives sont des ogresses ou des fées, c'est-à-dire des monstres ou des créatures surnaturelles. « Riquet à la houppe » montre de manière très claire la distribution des qualités. Riquet est ignoblement laid mais très spirituel. La princesse est belle mais très bête. Les filles doivent être sages et disciplinées : le Petit Chaperon rouge et la femme de Barbe bleue ne récoltent que les ennuis qu'elles méritent : la première folâtre en chemin au lieu d'aller directement chez sa grand-mère ; la seconde est trop curieuse. Perrault est en phase avec les conceptions dominantes de son temps. On commence tout juste à se préoccuper de l'éducation des filles mais avec une visée très limitée. Fénelon explique ainsi, dans son traité *De l'éducation des filles* en 1696 :

> [Les filles] sont faites pour des exercices modérés. Leur corps aussi bien que leur esprit est moins fort et moins robuste que celui des hommes. En revanche, la nature leur a donné en partage l'industrie, la propreté et l'économie pour les occuper tranquillement dans leurs maisons.

Loin d'être atemporels, les *Contes* portent les valeurs et la langue du monde dans lequel ils sont nés, la culture mondaine qui s'épanouit sous le règne de Louis XIV. Par un paradoxe amusant, ces contes littéraires et mondains, nés de la transformation de sources populaires, sont à leur tour devenus, au fil des siècles et des rééditions, des contes… populaires.

Pistes de lectures…

H. C. ANDERSEN, *Contes choisis*, Gallimard, Folio classique, 1987.

P. DUMAS et B. MOISSARD, *Contes à l'envers*, École des Loisirs, 1977.

W. et J. GRIMM, *Contes*, Gallimard, Folio classique, 1976.

W. et J. GRIMM, *Nouveaux Contes*, Gallimard, Folio classique, 1996.

Si les fées m'étaient contées…, Omnibus, 2003.

P. GRIPARI, *Contes de la rue Broca*, Gallimard, Folio junior, 1997.

Et sur internet un dossier très riche :

http://expositions.bnf.fr/contes/

Groupement de textes thématique

Ogres et ogresses

«JE SENS LA CHAIR FRAÎCHE» : cette phrase du «Petit Poucet» annonce l'arrivée de l'un des personnages les plus typiques des contes de fées, l'ogre. Autant que les fées ou les bottes de sept lieues, les ogres habitent l'imaginaire des contes. Ils sont d'ailleurs tellement représentatifs du monde des contes que Perrault utilise parfois l'expression «Contes de Fées et d'Ogres» pour parler des contes merveilleux. Sur les huit contes de Perrault, quatre contiennent un ogre ou une ogresse. Dans «La Belle au bois dormant», la reine est de race ogresse et «en voyant passer de petits enfants, [a] toutes les peines du monde à se retenir de se jeter sur eux». Elle demande à son maître d'hôtel de lui cuisiner la petite Aurore «à la Sauce-robert». Dans «Le Chat botté», le Chat va faire la révérence à l'ogre qui habite le château qu'il convoite pour son maître. Dans «Le Petit Poucet», les sept garçons abandonnés dans la forêt par leurs parents se réfugient dans la maison d'un ogre «qui mange les petits enfants». Cet ogre, «le plus cruel de tous les Ogres», a sept filles qui sont elles aussi de grandes amatrices de chair fraîche. Enfin, dans «Le Petit Chaperon rouge», il n'y a pas d'ogre à proprement parler, mais le loup qui dévore la grand-mère et la petite fille est une autre figure de l'ogre.

Mais qu'est-ce qu'un ogre, exactement ? Est-ce un animal ou un homme ? Est-ce une bête ou une créature surnaturelle ? Les ogres mangent-ils des hommes parce qu'ils sont eux-mêmes des humains ou parce qu'ils ne le sont pas ? Le doute demeure. L'ogre garde sa puissance terrifiante parce qu'il est à la lisière de l'humanité et de la bestialité. On le trouve souvent au cœur de forêts profondes, dans des lieux inhabités et inhospitaliers qui conviennent bien à sa sauvagerie. Il est souvent solitaire, même s'il vit parfois en couple avec une ogresse dont l'appétit est aussi insatiable que le sien. Son odorat lui permet de deviner instantanément la présence de chair fraîche. Même bien cachés, les humains et surtout les petits enfants à la peau tendre ne peuvent lui échapper. Mais si l'ogre a l'odorat développé, son intelligence est en général limitée et inversement proportionnelle à sa taille. Le héros le plus minuscule parvient toujours à le tromper par la ruse sans avoir besoin de l'affronter directement.

Si l'ogre est un personnage clé des contes de fées, il n'est pas né avec eux. L'étymologie du mot « ogre » est assez mystérieuse. On pense généralement qu'il vient du nom du dieu de la Mort et des Enfers dans la mythologie des Étrusques (un peuple voisin des Romains) : *Orcus*, le dieu des Enfers, engloutit le soleil. On trouve des ogres hors des contes, dans la mythologie grecque notamment. Ainsi Kronos, le Titan père de Zeus, avale-t-il systématiquement ses enfants qu'il soupçonne de vouloir le détrôner. Dans ce modèle antique comme dans de nombreux contes, l'ogre est une figure parentale qui dévore ses propres enfants. Dans l'*Odyssée*, qui raconte les errances d'Ulysse au retour de la guerre de Troie, le héros grec rencontre un personnage très semblable aux ogres : le cyclope Polyphème. C'est un géant impitoyable et monstrueux, qui n'a qu'un œil au milieu du visage et dévore allégrement les compagnons d'Ulysse. La description d'Homère a influencé de nombreux portraits d'ogres. Dans le conte intitulé « Finette Cendron », écrit au XVIIe siècle par Mme d'Aulnoy et cité ci-dessous, l'ogre a tout d'un cyclope, et notamment l'œil unique au milieu du visage. On trouve aussi des ogres dans les romans du Moyen Âge, qui sont pleins d'éléments merveilleux très proches de ceux des contes de fées, même si les histoires n'y sont pas racontées de la même façon : dans les romans de chevalerie qui chantent l'histoire du roi Arthur et de la Table ronde, le roi doit parfois combattre le géant du mont Saint-Michel qui fait rôtir des humains à la broche. L'un des géants mangeurs d'hommes les plus célèbres de la tradition, très présent dans les récits populaires du Moyen Âge et de la Renaissance avant d'être repris par Rabelais, est Gargantua, dont le nom vient de la même racine que le mot « gorge ». Gargantua est une bouche immense qui avale sans broncher six pèlerins qui se trouvent dans sa salade.

L'ogre est l'image du barbare absolu et être mangé par un ogre est le destin le plus terrifiant qui soit proposé aux héros des contes. L'ogre condense en un personnage unique des peurs très diverses, peur de parents abusifs, peur du diable, peur de la mort. Cependant, ce personnage sauvage et solitaire s'est parfois retourné en son contraire, un géant à l'apparence intimidante mais au cœur tendre qui devient l'ami des enfants, comme dans la nouvelle de Roald Dahl intitulée « Le BGG », autrement dit « Le Bon Gros Géant ».

HÉSIODE (VIIIe-VIIe siècle av. J.-C.)

Théogonie

(trad. de Jean-Louis Backès, Gallimard, Folio classique nº 3467)

Rhéïa forcée par Kronos
mit au monde de beaux enfants,
Hestia, Démèter,
Héra aux sandales d'or,
et Hadès le puissant l'impitoyable,
dont la maison est sous la terre,
et Celui-qui-fait-trembler-la-terre
à grand fracas,
et Zeus le très sage,
père des hommes et des dieux.
C'est lui dont le tonnerre fait frémir
la terre vaste.
Tous ceux-là, le grand Kronos
les avalait dès le moment
où du ventre sacré de leur mère
ils tombaient entre ses genoux.
Lui, il songeait que parmi
les descendants de Ciel,
quelqu'un deviendrait roi
de ceux qui ne meurent pas.
Il l'avait appris de Terre
et de Ciel parsemé d'étoiles :
sa destinée serait
d'être vaincu par son fils
quelle que soit sa force.
Le grand Zeus l'avait voulu.
Sans fermer l'œil, il se méfiait ;

il restait aux aguets
et avalait ses enfants. Rhéïa
en souffrait terriblement.
Mais quand vint le moment où Zeus,
père des hommes et des dieux, devait
naître, alors elle supplia
ses parents (c'étaient aussi
ceux de Zeus), Terre, sa mère,
et Ciel parsemé d'étoiles,
de découvrir une ruse
pour qu'elle enfante sans qu'on la voie
son fils, et qu'un châtiment
mérité venge sur le père
les enfants avalés par
le grand Kronos Pensées-Retorses. [...]
Ils la firent aller à Lyktos,
dans le riche pays de Crète
le jour où elle devait
enfanter son dernier fils,
Zeus le grand. L'immense Terre
reçut dans ses mains l'enfant,
en Crète, vaste pays,
pour le nourrir et l'élever.
Elle s'en alla le portant
pendant que courait la nuit obscure
d'abord jusqu'à Lyktos.
Elle le cacha de ses mains
dans une caverne inaccessible,
au creux de la terre inspirée,
dans la montagne Aïgaïôn
où sont des forêts très épaisses.
Puis elle langea une grande pierre
et la mit dans la main
du grand prince fils de Ciel,
premier roi des dieux.
Il la prit entre ses mains
et l'engloutit dans son ventre,
le malheureux; il ne comprit pas
que grâce à cette pierre

son fils invincible, son fils
sans la moindre inquiétude,
était sauvé, et bientôt le battrait
de ses mains très fortes,
lui ôterait sa part et serait roi
de ceux qui ne meurent pas.

HOMÈRE (IXe siècle av. J.-C.)

Odyssée

(trad. de Victor Bérard,
Gallimard, Folio classique n° 3285)

« Mon navire est brisé : oui ! l'ébranleur de sol, Posidon, l'a jeté sur les roches du cap, au bout de votre terre, où nous poussa le vent qui nous portait du large ; seuls, ces amis et moi avons sauvé nos têtes. »
Je disais, et ce cœur sans pitié ne dit mot. Mais, sur mes compagnons s'élançant, mains ouvertes, il en prend deux ensemble et, comme petits chiens, il les rompt contre terre : leurs cervelles, coulant sur le sol, l'arrosaient ; puis, membre à membre, ayant déchiqueté leurs corps, il en fait son souper ; à le voir dévorer, on eût dit un lion, nourrisson des montagnes ; entrailles, viande, moelle, os, il ne laisse rien. Nous autres, en pleurant, tendions les mains vers Zeus !... voir cette horreur !... se sentir désarmé !...
Quand enfin le Cyclope a la panse remplie de cette chair humaine et du lait non mouillé qu'il buvait par-dessus, il s'allonge au milieu de ses bêtes dans l'antre. Alors je prends conseil de mon cœur valeureux : vais-je, au long de ma cuisse, tirer mon glaive à pointe et, lui courant dessus, le lui planter au ventre, juste au point où le foie pend sous le diaphragme ? ma main saura tâter !... Une idée me retint : enfermés avec lui, nous périssions encore ; la mort était sur nous, car l'énorme rocher dont le

Cyclope avait bouché sa haute porte, jamais nos bras, à nous, n'auraient pu l'enlever.
En gémissant, nous attendons l'aube divine. Dans son berceau de brume, aussitôt que paraît l'Aurore aux doigts de roses, il ranime le feu, puis il trait d'affilée ses bêtes magnifiques et lâche le petit sous le pis de chacune. Ce travail achevé — et ce ne fut pas long, — il prend encor deux de mes gens pour déjeuner et, quand il a mangé, il fait sortir de l'antre toutes ses bêtes grasses. Sans effort, il avait ôté le grand portail que, vite, il replaça : on eût dit qu'il mettait la valve d'un carquois. Puis, criant et sifflant, il emmène ses gras moutons vers la montagne.
Il nous avait quittés. Je roulais la vengeance au gouffre de mon cœur.

(Chant IX, Ulysse et le Cyclope)

Geoffroy de MONMOUTH (1100-1154)

Histoire des rois de Bretagne (1146)

(trad. de Laurence Mathey-Maille, Les Belles Lettres)

Entre-temps, Arthur apprit qu'un géant d'une taille extraordinaire, venu d'Espagne, avait enlevé à ses gardiens Hélène, la nièce du duc Hoel, et s'était enfui avec elle au sommet d'un mont aujourd'hui appelé mont Saint-Michel ; des chevaliers l'avaient poursuivi mais sans rien pouvoir faire contre lui. En effet, que l'attaque vînt de la terre ou de la mer, le géant tuait ses assaillants à l'aide d'armes les plus diverses ou il écrasait leurs navires sous d'énormes pierres. Et il capturait de nombreux hommes qu'il dévorait à moitié morts. La nuit suivante, à la deuxième heure, Arthur emmena avec lui son sénéchal Kai et son échanson Beduer ; il quitta les tentes à l'insu de ses autres compagnons et prit le chemin

du mont. Il était doté d'un tel courage qu'il n'avait pas estimé utile de s'avancer à la tête d'une armée pour affronter des monstres de ce genre, car, d'une part, il se sentait suffisamment seul pour les anéantir seul et, d'autre part, il stimulait ses hommes en agissant ainsi. [...]
Ils dirigèrent alors leurs pas vers le plus élevé des monts, laissèrent leurs chevaux aux écuyers et entreprirent l'ascension, Arthur en tête. Le monstre se tenait auprès du feu, la bouche barbouillée de sang de porcs à moitié dévorés, dont il avait avalé une partie et dont il rôtissait le reste sur des broches placées sous la braise. Dès qu'il aperçut nos héros, n'ayant rien prévu de tel, il se hâta de saisir sa massue que deux jeunes gens auraient eu peine à soulever de terre. Le roi tira son épée du fourreau, tendit son bouclier en avant et se précipita aussi vite que possible pour devancer le géant et l'empêcher de prendre sa massue. Mais ce dernier, tout à fait conscient des intentions d'Arthur, s'en était déjà emparé et il frappa avec une telle force sur le bouclier du roi que le coup résonna : tous les rivages en retentirent et les oreilles d'Arthur furent complètement assourdies. Toutefois, enflammé par une violente colère, le roi brandit son épée contre le front du géant, qu'il blessa sans le toucher à mort, mais le sang qui coulait sur sa face et ses yeux le rendait aveugle. Le monstre avait en effet paré le coup avec sa massue, protégeant ainsi son front d'une blessure mortelle. Aveuglé par le flux de sang, il se dressa très brusquement, et comme le sanglier se précipite sur le chasseur en dépit de l'épieu, de même il se rua sur le roi et son épée puis, saisissant son adversaire à bras-le-corps, l'obligea à plier les genoux jusqu'à terre. Rassemblant ses forces, Arthur se dégagea promptement; vif comme l'éclair, il frappait violemment le monstre de son épée, tantôt d'un côté, tantôt de l'autre, et n'eut de cesse qu'il ne lui portât une blessure mor-

telle, en lui fendant la tête de son glaive, là où le crâne protège le cerveau. L'horrible créature poussa un cri et, comme un chêne déraciné par des vents puissants, il s'écroula dans un fracas terrible.

Mme D'AULNOY (1650-1705)

Finette Cendron

(Contes nouveaux)

Quand [Finette et ses sœurs] furent à la porte du château, elles frappèrent : aussitôt une vieille femme épouvantable, leur vint ouvrir, elle n'avait qu'un œil au milieu du front, mais il était plus grand que cinq ou six autres, le nez plat, le teint noir et la bouche si horrible, qu'elle faisait peur ; elle avait quinze pieds de haut et trente de tour.

« Ô malheureuses ! qui vous amène ici ? leur dit-elle. Ignorez-vous que c'est le château de l'ogre, et qu'à peine pouvez-vous suffire pour son déjeuner ; mais je suis meilleure que mon mari ; entrez, je ne vous mangerai pas tout d'un coup, vous aurez la consolation de vivre deux ou trois jours davantage. »

Quand elles entendirent l'ogresse parler ainsi, elles s'enfuirent, croyant se pouvoir sauver, mais une seule de ses enjambées en valait cinquante des leurs ; elle courut après et les reprit, les unes par les cheveux, les autres par la peau du cou ; et les mettant sous son bras, elle les jeta toutes trois dans la cave qui était pleine de crapauds et de couleuvres, et l'on ne marchait que sur les os de ceux qu'ils avaient mangés.

Comme elle voulait croquer sur le champ Finette, elle fut quérir du vinaigre, de l'huile et du sel pour la manger en salade ; mais elle entendit venir l'ogre, et trouvant que les princesses avaient la peau blanche et délicate, elle résolut de les manger toute

seule, et les mit promptement sous une grande cuve où elles ne voyaient que par un trou.
L'ogre était six fois plus haut que sa femme ; quand il parlait, la maison tremblait, et quand il toussait, il semblait des éclats de tonnerre ; il n'avait qu'un grand vilain œil, ses cheveux étaient tout hérissés, il s'appuyait sur une bûche dont il avait fait une canne ; il avait dans la main un panier couvert ; il en tira quinze petits enfants qu'il avait volés par les chemins, et qu'il avala comme quinze œufs frais. Quand les trois princesses le virent, elles tremblaient sous la cuve, elles n'osaient pleurer bien haut, de peur qu'il ne les entendît ; mais elles s'entredisaient tout bas : « Il va nous manger tout en vie, comment nous sauverons-nous ? » L'ogre dit à sa femme : « Vois-tu, je sens chair fraîche, je veux que tu me la donnes… »

Roald DAHL (1916-1990)

Le Bon Gros Géant (1985)

(trad. de Camille Fabien,
Gallimard, Folio junior n° 602)

Le géant ramassa d'une main Sophie qui ne cessait de trembler et l'emmena au milieu de la caverne pour la poser sur la table.
— Cette fois, ça y est, il va me dévorer pour de bon, pensa Sophie.
Le géant s'assit sur la chaise et la regarda avec insistance. Ses oreilles étaient vraiment démesurées. Chacune avait la taille d'une roue de camion et il avait le pouvoir de les remuer à sa guise en les écartant de sa tête ou en les rabattant en arrière.
— Moi, j'ai faim ! gronda le géant.
Puis il se mit à sourire, en découvrant d'immenses dents carrées. Elles étaient très carrées et très blanches et semblaient plantées dans ses mâchoires comme d'énormes tranches de pain de mie.

— S'il… S'il vous plaît, ne me mangez pas… bredouilla Sophie.
Le géant éclata d'un rire retentissant.
— Alors, parce que moi, c'est un géant, tu crois que c'est un gobeur d'hommes canne à balles ? s'exclama-t-il, hé ! Tu as raison ! Les géants, c'est tous cannibalaires et patibules ! C'est vrai : ils mangent des hommes de terre ! Et ici, on est au pays des Géants ! Les géants, ils sont partout ! Là-bas, dehors, il y a le célèbre géant Croqueur d'os ! Le géant Croqueur d'os croque chaque soir pour son souper deux hommes de terre frits ! Avec un bruit à faire éclater les oreilles ! Le bruit des os croqués qui crissent et craquent à des kilomètres à la ronde !
— Ouille ! aïe ! s'écria Sophie.
— Le géant Croqueur d'os ne mange que des hommes de terre suisses, poursuivit le géant, chaque nuit, le Croqueur d'os s'en va galoper chez les Suisses pour ramasser des Vaudois, rien que des Vaudois !
Cette révélation choqua si fortement le patriotisme de Sophie qu'elle en éprouva une vive colère.
— Et pourquoi des Vaudois, s'indigna-t-elle, qu'a-t-il donc contre les Anglais celui-là ?
— Le Croqueur d'os dit que les Vaudois sont bien plus juteux, beaucoup plus savouricieux. Le Croqueur d'os dit que dans le canton de Vaud, les hommes de terre ont un goût délectable, un goût d'escalope.
— Ça me paraît logique, répliqua Sophie.
— Bien sûr que c'est logique ! s'écria le géant, chaque homme de terre est sanglier et différent.
— Sanglier ? s'étonna Sophie.
— Sanglier ou singulier, peu importe ! Tous les hommes de terre sont différents. Certains sont délexquisavouricieux, d'autres sont ignominables. Les Grecs, par exemple, sont tout à fait exécrignobles. Les géants ne mangent jamais de Grecs.
— Et pourquoi cela, demanda Sophie ?

— Les Grecs de Grèce ont un goût de gras, expliqua le géant.
— C'est bien possible, admit Sophie.
En même temps elle se demandait avec un frisson où cette conversation allait bien pouvoir mener…

Pour lire d'autres histoires d'ogres

GRIMM, «Jeannot et Margot», «Les sept corbeaux» et «Le diable aux trois cheveux d'or», *Contes,* Gallimard, Folio, 1976, pp. 71-82, 107-110 et 111-120.

GRIMM, «Conte du genévrier», *Nouveaux Contes,* Gallimard, Folio, 1996, pp. 37-49.

Nacer KHÉMIR, *L'Ogresse,* Maspero, 1977.

Groupement de textes stylistique

Débuts de contes

« IL ÉTAIT UNE FOIS une Reine… », « Il était une fois une petite fille… », « Il était une fois un Bûcheron et une Bûcheronne » : sept des huit contes de Perrault commencent par cette formule traditionnelle. « Il était une fois » fait entrer dans le monde du conte en éliminant la référence à la réalité et en suspendant la logique rationnelle. Le monde merveilleux du conte a sa propre logique. En écoutant ou en lisant « Il était une fois », on sait qu'on entre dans un monde où la vérité se cachera sous la fiction. Dans de nombreux pays, les contes, oraux et écrits, utilisent des formules types pour marquer ce passage du monde réel au monde du conte. Elles signalent l'irréalité de l'histoire en soulignant l'indétermination du temps et du lieu où elle s'est déroulée. L'imparfait du « Il était une fois » évoque un temps imprécis, dans un passé indéfini. Des contes bretons, pour bien marquer cette rupture avec la vie réelle, s'ouvrent par la formule « Au temps où les poules avaient des dents », ou « Au temps où les poules pissaient par la patte ». Des contes irlandais énoncent : « Il y avait un roi il y a longtemps, et s'il y eut une fois, il y eut souvent et il y aura de nouveau… » Ce qui est arrivé un jour, on ne sait quand, peut arriver à nouveau. Certains contes africains replacent l'histoire dans l'éternité : « Voici ce que j'ai vu. Le monde n'a pas commencé aujourd'hui, il ne finira pas aujourd'hui. »

Souvent, ce n'est ni le temps ni le lieu de l'histoire qui sont ainsi suspendus mais la véracité même de la parole du conte. Les premiers mots soulignent qu'on entre dans l'univers du mensonge. Un conte de Mauritanie s'ouvre par ces mots : « Il t'a dit, il ne t'a pas dit qu'il y avait deux hommes, deux frères... » Un conte du Québec commence ainsi : « Je vais vous conter, vous raconter, tant de vérités, tant de menteries, plus je mens, plus je veux mentir... » Parfois, c'est la fin du conte, la formule de clôture, qui souligne l'irréalité de l'histoire qui vient d'être racontée et ramène l'auditoire à la vie réelle. Des contes de Madagascar se referment en clamant : « Contes ! Contes ! Sornettes ! Sornettes ! »

La parole du conte, surtout si le conte est raconté à l'oral, mais même s'il est destiné à être lu, est une parole qui circule. Le conteur est dépositaire d'une parole qu'il refera circuler ailleurs ; les auditeurs, quant à eux, colporteront à leur manière l'histoire qu'ils auront écoutée. La fin des contes referme donc le monde merveilleux ouvert par la formule initiale pour rendre l'histoire à nouveau disponible. Certains conteurs africains disent ainsi : « Je remets cela où je l'ai pris. » Des contes palestiniens disent : « L'oiseau de ce conte s'est envolé, maintenant c'est au tour de quelqu'un d'autre. »

Au-delà de la seule formule d'ouverture, les contes fournissent à leurs auditeurs ou lecteurs des repères et des codes, spécifiques au monde des contes, dès les premières lignes. Sous la diversité des histoires, des régions d'origine, des manières de raconter, on retrouve des éléments communs à tous les contes. On reconnaît immédiatement les personnages : rois et reines, princes et princesses, ou bien membres du peuple, cadets de la famille, ogres, loups, fées, ils sont toujours rapidement esquissés, par des descriptions très générales et toujours identiques. Les héros des contes sont donc presque anonymes, tout comme les lieux qu'ils habitent ne figurent pas sur la carte. Cela distingue les contes des légendes qui sont, elles, en général, associées à des lieux et à des personnages très précis, puisqu'une légende se présente comme une histoire qui a « vraiment » eu lieu. D'autre part, très rapidement, le début d'un conte met en place l'intrigue selon des schémas toujours semblables. Le héros doit subir une épreuve qui le transformera. Il s'agit toujours d'une difficulté à surmonter, d'une interdiction qui sera transgressée, d'un manque qu'il faut supprimer, d'une tromperie ou d'un sort qu'il faut déjouer. L'auditeur ou le lecteur d'un conte est ainsi dès les premiers mots à la fois en pays connu (il reconnaît les éléments de base de l'histoire) et en pays inconnu (il se demande avec curiosité comment la situation va se résoudre).

Nous avons réuni cinq débuts de contes à la fois très différents et très semblables : certains étaient racontés à l'oral et ont été retranscrits, d'autres sont des contes écrits ; quatre d'entre eux sont issus de la tradition populaire, le dernier est une histoire farfelue inventée par un auteur du XVIIIe siècle qui parodie les contes merveilleux. Dans tous les cas, le début de l'histoire intrigue.

Veronika GÖRÖG-KARADY

La Belle Marichka (1991)

(*Contes d'un tzigane hongrois*
Éditions du CNRS)

Il était une fois, quelque part ou nulle part, au-delà de sept fois sept pays, un village. En ce temps-là, les filles avaient encore la coutume de se réunir dans une maison pour filer. Elles étaient onze, les filles qui se réunissaient. La onzième n'avait pas d'amant, les dix autres en avaient toutes un. Selon la coutume, quand la quenouille tombait des mains des filles, elles ne se penchaient pas, c'étaient leurs amants qui la ramassaient. Mais chaque fois que la quenouille tombait, l'amant recevait en récompense un baiser. Seule la onzième n'avait pas d'amant. Elle avait très honte, parce qu'elle devait se pencher elle-même, quand la quenouille tombait, et elle devait la ramasser elle-même. Le temps passa. Une fois la pauvre fille se dit :
— Oh, si je pouvais avoir quelqu'un pour ramasser ma quenouille, même si c'était le diable en personne !
Elle n'eut pas à attendre longtemps : voilà qu'un beau et grand jeune homme apparut. La belle Marichka était très contente, elle ne devait plus se pencher pour ramasser la quenouille. Le jeune homme prit aussitôt place à ses côtés. Elle laissait tomber la quenouille, même quand elle ne glissait pas de ses mains, pour que le jeune homme l'embrassât. Elle la laissait tomber toutes les deux minutes. Comme les filles allaient filer tous les jours dans la maison de filage, cela se répétait tous les jours. La belle Marichka commençait à se lasser des baisers et, une fois, par hasard ou non, elle se pencha elle-même pour ramasser la quenouille. Elle se pencha et jeta un coup d'œil sur les pied de son amant. Elle vit qu'il avait des sabots de cheval !...

Le Loup gris

(conte de Basse-Bretagne recueilli en 1869,
dans *Le Conte populaire*, Michèle Simonsen, PUF)

Tout ceci se passait du temps
Où les poules avaient des dents.

•

Il y avait une fois un vieux paysan, resté veuf avec trois filles. Un jour qu'il allait conduire ses vaches au pâturage, il rencontra un grand loup gris (de vieillesse sans doute), qui vint tout droit à lui et lui demanda une de ses filles en mariage. Le bonhomme eut peur et répondit :
— Je le veux bien, pourvu qu'une d'elles consente à vous épouser.
— Il le faut bien, sinon, préparez-vous à mourir.
Il revint à la maison, tout effrayé, et fit part à ses filles de la rencontre qu'il avait faite, et leur dit qu'il fallait qu'une d'elles épousât le loup gris, si elles désiraient le voir vivre.
— Épouser un loup ! s'écrièrent les deux aînées ; fi donc ! vous avez sans doute perdu la tête !
— La plus jeune, qui aimait son père plus que les deux autres, dit alors :
— Eh bien ! mon père, je l'épouserai, moi !
Le jour du mariage fut fixé, et, à l'heure convenue, le loup se trouva pour conduire sa fiancée à l'église. Elle était belle et rougissante, comme le jour naissant, et tout le monde s'étonnait de la voir marcher à l'église à côté d'un loup.
Le prêtre monta à l'autel et commença la messe ; et, à mesure qu'il avançait, les assistants remarquaient avec étonnement que la peau du loup se fendait sur son dos…

Youcef ALLIOUI

Mzellam fille de l'ogre (2001)

(*Contes kabyles*, L'Harmattan)

Que mon conte soit beau !
Et se déroule comme une tresse de laine
Que celui qui l'entend, à jamais s'en souvienne !

Il était une fois un roi, il n'y a de roi que Dieu, qui régnait sur un pays plein de richesses. Le roi était un homme de bien. Sa façon de régner était bonne. Il mit son pays dans de bons et droits chemins, ceux de la justice et de la protection de ses sujets. Les gens vivaient en paix. Il respectait le peuple et le peuple le respectait. Chaque cité qu'il visitait l'accueillait avec une joie sincère et non dictée par la peur.

Il constata que son royaume était stable et tranquille. Les affaires du royaume étaient bien gérées. Chacun se sentait bien à sa place. Les conseillers du roi, les sages du royaume et le Premier ministre avaient une conduite exemplaire. Il pouvait compter sur eux.

Un jour, parmi les jours de Dieu, il prit son fils et lui dit : « Mon fils, le temps est venu pour moi d'aller rendre visite aux *Archs d'en haut.* En mon absence, c'est toi le prince du pays. C'est toi qui régneras à ma place, bien que les sages du royaume soient là. Fais attention à ta mère et prends garde aux affaires du pays. Nos ancêtres disaient : "La considération est difficile à gagner !" »

Le roi prépara les provisions d'une année et prit tout ce qu'il lui fallait pour le voyage, hommes et biens, avant de prendre la route des confédérations lointaines de son royaume.

Le prince géra les biens du château et du pays en suivant les conseils de son père. Un jour, parmi les jours du Souverain Suprême, le prince se promenait dans la casbah de la cité et tomba sur les cafés où les hommes s'adonnaient au jeu de hasard. Cela lui plut. Il resta à regarder comme tous les badauds…

ANONYME

Histoire d'Aladdin, ou La Lampe merveilleuse

(trad. de A. Galland, *Les Mille et Une Nuits,* Classiques Garnier)

Dans la capitale d'un royaume de la Chine, très riche et d'une vaste étendue, dont le nom ne me vient pas présentement à la mémoire, il y avait un tailleur nommé Mustafa, sans autre distinction que celle que sa profession lui donnait. Mustafa le tailleur était fort pauvre, et son travail lui produisait à peine de quoi le faire subsister, lui et sa femme, et un fils que Dieu lui avait donné.

Le fils, qui se nommait Aladdin, avait été élevé d'une manière très négligée et qui lui avait fait contracter des inclinations vicieuses. Il était méchant, opiniâtre, désobéissant à son père et à sa mère. Sitôt qu'il fut un peu grand, ses parents ne le purent retenir à la maison; il sortait dès le matin et il passait les journées à jouer dans les rues et les places publiques, avec de petits vagabonds qui étaient même au-dessous de son âge.

Dès qu'il fut en âge d'apprendre un métier, son père, qui n'était pas en état de lui en faire apprendre un autre que le sien, le prit en sa boutique et commença à lui montrer de quelle manière il devait manier l'aiguille; mais ni par douceur ni par crainte d'aucun châtiment il ne fut possible au père de fixer

l'esprit volage de son fils : il ne put le contraindre à se contenir et à demeurer assidu et attaché au travail, comme il le souhaitait. Sitôt que Mustafa avait le dos tourné, Aladdin s'échappait, et il ne revenait plus de tout le jour. Le père le châtiait ; mais Aladdin était incorrigible ; et, à son grand regret, Mustafa fut obligé de l'abandonner à son libertinage. Cela lui fit beaucoup de peine ; et le chagrin de ne pouvoir faire rentrer son fils dans son devoir lui causa une maladie si opiniâtre, qu'il en mourut au bout de quelques mois.
La mère d'Aladdin, qui vit que son fils ne prenait pas le chemin d'apprendre le métier de son père, ferma la boutique et fit de l'argent de tous les ustensiles de son métier, pour l'aider à subsister, elle et son fils, avec le peu qu'elle pourrait gagner à filer du coton. Aladdin, qui n'était plus retenu par la crainte d'un père et qui se souciait si peu de sa mère qu'il avait même la hardiesse de la menacer, à la moindre remontrance qu'elle lui faisait, s'abandonna alors à un plein libertinage. Il fréquentait de plus en plus les enfants de son âge et ne cessait de jouer avec eux avec plus de passion qu'auparavant. Il continua ce train de vie jusqu'à l'âge de quinze ans, sans aucune ouverture d'esprit pour quoi que ce soit, et sans faire réflexion à ce qu'il pourrait devenir un jour. Il était dans cette situation, lorsqu'un jour qu'il jouait au milieu d'une place avec une troupe de vagabonds, selon sa coutume, un étranger, qui passait par cette place, s'arrêta à le regarder…

Mlle de LUBERT

La Princesse Coque d'œuf et le Prince Bonbon (1745)

Il était autrefois un roi qui avait le nez si long, si long que, quoique l'extrémité fût roulée sur une bobine et portée par deux pages qui n'étaient point payés et qui s'entretenaient à leurs dépens, la partie cartilagineuse du nez était encore si vaste et si peu flexible qu'on avait été obligé d'abattre tous les coins des rues de la capitale, pour donner au prince la facilité de tourner lorsqu'il allait à la promenade. Or, comme ce nez, qui croissait toujours, était sujet à d'importunes démangeaisons, les médecins ne trouvèrent d'autre remède pour les apaiser, que de faire donner sans cesse des croquignoles[1] au bon prince, ce qui le fit surnommer le roi Croquignolet. Il était extrêmement avare, et plaignait beaucoup l'argent qu'il dépensait en croquignoles ; ainsi pour n'avoir plus de croquignoleurs à gage, il imagina d'obliger ses sujets à lui en venir donner par corvées ; cinquante d'entre eux étaient tous à la fois et sans relâche occupés à ce pénible exercice, jusqu'à ce qu'ils fussent relevés par cinquante autres ; ce qui fatiguait bien le pauvre peuple.

L'avarice du roi était si grande, qu'on ne disait point de son temps, un tel est ladre comme un lard jaune, mais un tel est ladre comme Croquignolet, pour faire allusion au nom du prince, tant les esprits se raffinaient dès lors.

Aussi ce roi ne voulut jamais se marier, de crainte de faire trop de dépense pour la noce et pour l'entretien de la princesse qu'il aurait épousée.

Il aurait cependant pu en trouver une des plus huppées ; car outre qu'il avait force écus, et que son royaume fût un des mieux rentés du pays, il était dans son jeune temps d'une figure fort passable, et n'avait pas toujours porté ce vilain nez qui le défigurait ; ce malheur lui était arrivé tout d'un coup et de la façon qu'on le verra dans la suite.

Tandis, donc, que le roi avait encore un nez qui ne l'aurait point empêché de gober des mouches

1. Les croquignoles étaient des biscuits secs. Le mot désigne aussi une chiquenaude, une tape.

contre la muraille, on lui proposa inutilement les meilleurs partis de la contrée ; il ne voulut jamais entendre parler de mariage [...].

Mais pourtant par un désir naturel aux grands hommes, il aurait fort souhaité d'avoir une lignée, afin que ses richesses et son royaume ne passassent point après lui dans une famille étrangère.

Se passer de femme et avoir des enfants, était dans ce temps-là comme à présent une chose assez difficile.

Le roi consulta sur ce sujet les plus grands médecins qu'il y eût à un quart de lieue à la ronde, promettant beaucoup, et comptant tenir peu, à quiconque lui apprendrait ce beau secret.

L'espoir de la récompense anima les savants, et leur fit feuilleter quantité de bouquins ; mais après une recherche aussi longue que stérile, ils se virent contraints d'avouer leur ignorance sur cette matière.

Il faut savoir que dans ce siècle-là les fées n'étaient pas aussi communes qu'elles le sont aujourd'hui, et que la plus vieille d'entre elles était encore pour lors à la bavette ; sans cela le bon roi n'eût pas cherché si longtemps.

Les difficultés ne le rebutèrent point, il continua ses recherches avec tant de constance qu'on lui apprit enfin qu'il était, dans le pays de Sapience, un fameux sorcier si prodigieusement savant que c'était lui qui composait les véritables almanachs de Mathieu Lamsberg, les Colombats, les Étrennes mignonnes et même l'Almanach du Diable.

On le nommait Dort-d'un-œil, parce que dès son enfance, il s'était accoutumé à tenir toujours six de ses yeux ouverts, tandis que l'autre dormait, et cela crainte de surprise.

Sa science autant que son pouvoir faisaient l'entretien et l'admiration de tout l'univers.

C'est lui qui a enseigné pour la première fois qu'après la pluie vient le beau temps, qu'il est grand jour quand le soleil est levé, que lorsqu'on est mort

on ne voit goutte, que quand on voit les boutiques fermées, c'est un signe infaillible qu'il est fête, que la nuit tous les chats sont gris, qu'aussitôt que le soleil est couché, il y a bien des bêtes à l'ombre.
Il apprit aux gens de son temps (chose jusqu'alors inconnue) à faire de six francs quatre livres, et de quatre livres rien ; à bâtir des châteaux en Espagne ; à se gratter où il ne démange point ; à chercher midi à quatorze heures…

Chronologie

Perrault et son temps

1.

Les années de formation

« Je suis né le douzième janvier 1628, et né jumeau. » C'est ainsi que commencent les *Mémoires de ma vie* écrits par Charles Perrault à la fin de sa vie. Il est le cadet d'une fratrie de six garçons dont le premier naquit en 1610. Son frère jumeau, François, ne vécut que six mois tandis qu'une sœur mourut, elle, à l'âge de treize ans. Le père est avocat au Parlement de Paris, la famille appartient à la bourgeoisie aisée. Les *Mémoires* nous révèlent que l'éducation du cadet fut très soignée, ses deux parents s'impliquant tour à tour dans son apprentissage. L'éducation des enfants devient un enjeu important au XVIIe siècle ; de nombreux ouvrages d'éducation paraissent et le statut de l'enfant évolue. La scolarisation augmente dans les milieux aisés et l'on fréquente de plus en plus le collège au lieu d'apprendre chez soi. Charles Perrault fait ses études au collège de Beauvais, situé près de la Sorbonne. Il y brille mais en 1643, après un différend avec le professeur en classe de philosophie, il quitte le collège et n'y remet plus les pieds. Son ami Beaurain le suit et les deux jeunes gens décident d'étudier tout seuls. Pendant trois ans ils se retrouvent chaque jour pour lire les auteurs classiques. Perrault fait déjà des vers et aime le débat. Avec son compagnon d'études et deux de ses frères, il entreprend de traduire le plus célèbre livre de l'*Énéide*, le livre VI, qui raconte la descente d'Énée aux Enfers, en mode comique. La première entreprise littéraire de Perrault, qui est conforme à la mode de l'époque, est donc la parodie d'un auteur classique. Les dieux et les héros de la mythologie antique y sont désacralisés : Énée est présenté comme un homme faible et pleurnichard, Caron comme un vieillard polisson. Le style noble de l'épopée de Virgile est remplacé par une dérision volontiers obscène. Les compères s'attèlent à un autre livre parodiant l'Antiquité et intitulé *Les Murs de Troye*.

Dans ses *Mémoires*, Perrault raconte avec humour la manière dont il obtint en 1651 sa licence en droit devant des docteurs de l'université d'Orléans. Tournant en dérision l'institution universitaire comme il l'avait fait pour le collège, il raconte qu'il arriva tard le soir en compagnie de deux autres étudiants, qu'on leur demanda si leur argent était prêt, et que devant la réponse favorable, trois docteurs portant encore leur bonnet de nuit sous leur coiffe de docteur leur firent passer l'examen pour devenir avocat. Perrault conclut ainsi l'épisode : « Je crois que le son de notre argent, que l'on comptait derrière nous pendant que l'on nous interrogeait, servit de quelque chose à leur faire trouver nos réponses meilleures qu'elles n'étaient. »

1634	Création de l'Académie française par Richelieu.
1638	Naissance du futur Louis XIV.
1643	Mort de Louis XIII — Régence — Mazarin Premier ministre.
1650-1653	Fronde des princes contre le pouvoir.

2.

Au service des arts et du roi

La société du XVIIe siècle est une société de lignages et de clans : les membres d'une même famille s'entraident et se soutiennent dans la prospérité comme dans la mauvaise fortune. Le second fils de la famille Perrault, Pierre, fit une belle carrière de financier. Proche de Colbert, il devint en 1654 receveur général des finances de Paris et, parallèlement à sa profession, s'intéressa beaucoup au monde des arts. Charles avait juste commencé sa carrière d'avocat lorsque son frère l'appela pour travailler avec lui. La charge n'était pas trop lourde et lui laissa le temps d'étudier et de fréquenter les salons où l'on pratiquait la poésie et la conversation. Il composa plusieurs textes qui eurent du succès. Colbert, qui allait devenir surintendant des Bâtiments du Roi (une sorte de ministère de la Culture avant la lettre), entendit parler de Perrault et le nomma en 1663 secrétaire de la « Petite Académie » qui devait le conseiller en matière littéraire et artistique pour définir la politique culturelle du royaume. La carrière de Perrault avance vite. Dès 1668, Colbert le nomme premier commis des Bâtiments, un poste clé pour le programme des constructions royales. En 1671, il entre à l'Académie française et la même année accède au poste prestigieux et rémunérateur de contrôleur des Bâtiments de Sa Majesté. Le chantier de Versailles n'est pas encore terminé, il faut aussi s'occuper des Tuileries, du Louvre et de Saint-Germain, sans compter les nombreux arcs de triomphe et obélisques qui doivent être élevés à la gloire du roi. Le poste requiert des compétences vastes puisqu'il faut à la fois tenir les comptes mais aussi choisir les entrepreneurs et surveiller l'avancée des travaux sur le terrain. Charles travaille souvent avec son frère Claude, médecin de formation, passionné par les sciences et l'architecture.

À la fin des années 1660, Charles Perrault est devenu un homme de pouvoir que l'on cherche à se concilier. Il est le témoin ou l'artisan des nombreuses manœuvres qui se trament dans l'entourage du roi et de ses ministres. La vie culturelle est marquée par le rôle croissant de l'État qui distribue des gratifications et des pensions aux artistes et attend en retour que ceux-ci mettent tout leur talent à son service. Perrault travaille beaucoup et s'occupe simultanément de domaines très différents : il doit surveiller les chantiers royaux, veiller à l'approvisionnement en eau du parc de Versailles, nommer les membres de l'Académie des sciences créée en 1666, intervenir dans les débats sur la peinture, réfléchir à la modernisation de l'orthographe, écrire des odes à la gloire du roi, composer des devises, envoyer des artistes français en mission en Italie, etc. Il a donc un rôle essentiel dans la politique des arts et des sciences des années 1660-1680, qui joue elle-même un rôle primordial dans la propagande monarchique. Recevant les membres de la Petite Académie, le souverain leur dit : « Vous pouvez, Messieurs, juger de l'estime que je fais de vous, puisque je vous confie la chose du monde qui m'est la plus précieuse, qui est ma gloire. » Louis XIV cherche à affirmer la toute-puissance de la monarchie absolue et la grandeur de son règne. Les tapisseries, les médailles, la littérature, l'architecture, tout doit concourir à la glorification de sa personne et de son règne : c'est une vaste entreprise collective et Perrault est l'un de ceux qui y veillent avec le plus de zèle.

Son entrée à l'Académie française participe de la même volonté de contrôle du pouvoir sur les institutions culturelles. Les membres de l'Académie composent des textes sur commande pour le pouvoir ou revoient et corrigent les ouvrages en prose ou en vers écrits à la gloire du roi, avant qu'ils ne soient imprimés. Perrault entreprend de moderniser et de fixer l'orthographe. Il milite pour la suppression de certaines formes vieillies. C'est que la langue française, débarrassée de ses archaïsmes et libérée de l'emprise du latin, doit elle aussi concourir au rayonnement de la monarchie. Perrault est nommé directeur de l'Académie en 1681.

Perrault s'intéresse beaucoup à l'architecture et aux découvertes scientifiques. Voyant dans les progrès techniques le signe de la supériorité de son époque sur celles qui l'ont précédée, il suit de près les innovations contemporaines comme le métier à tricoter les bas, ramené d'Angleterre, ou les systèmes hydrauliques qui font fonctionner les bassins et jets d'eau de Versailles.

Au total, Perrault passe une vingtaine d'années au service de Colbert et du pouvoir, sans juger incompatibles la qualité d'hommes de lettres et celle de serviteur de la monarchie. Convaincu de la grandeur de l'époque où il vit et du roi qu'il sert, Perrault écrit : « Je me réjouis de voir notre siècle parvenu en quelque sorte au sommet de la perfection. »

1661	Début du règne personnel de Louis XIV. Premiers travaux à Versailles (→ 1778).
1664	Colbert crée la Compagnie des Indes occidentales pour commercer avec les Antilles et des Indes orientales pour commercer avec les Indes.
1672	Louis XIV s'installe à Versailles.
1680	Révoltes populaires à cause du poids des impôts.
1680	Persécutions contre les protestants.

3.

Le combat d'un Moderne

En 1682, Perrault se brouille avec Colbert qui souhaite le remplacer pour placer l'un de ses fils. En 1683, Colbert meurt et son successeur, qui est aussi son principal ennemi, Louvois, prive Perrault de sa pension, l'exclut de la Petite Académie, et le démet de ses fonctions. C'est l'heure de la disgrâce, Perrault n'a plus d'appui haut placé et décide de se consacrer à l'éducation de ses enfants. En 1672, à l'âge de quarante-quatre ans, il épouse une jeune fille de dix-neuf ans dont il a trois garçons et une fille. Son épouse meurt en 1678 et il se retrouve donc veuf à cinquante ans. Il se fixe au faubourg Saint-Jacques, qui est le quartier des collèges.

Profitant de sa liberté nouvelle, il se consacre à l'écriture. Toujours soucieux de chanter la gloire du roi, Perrault compose un poème intitulé *Le Siècle de Louis le Grand,* qui est lu devant l'Académie en 1687 et déclenche une véritable bataille d'idées. La Querelle des Anciens et des Modernes mobilisera tous les écrivains de l'époque. Perrault soutient que le siècle de Louis XIV est supérieur à tous les autres et que la littérature française doit s'affranchir de l'influence des littératures grecque et latine auxquelles elle ne le cède en rien. Pour lui, les écrivains doivent puiser dans la culture chrétienne et dans le fonds populaire français au lieu d'aller chercher des modèles dans l'Antiquité païenne. L'intervention de Perrault déclenche la réprobation des partisans de la culture classique, et notamment de Boileau, qui prend la tête du parti des Anciens tandis que Perrault est à la tête du parti des Modernes. L'un et l'autre camp tentent de se concilier l'appui du roi. Le premier fait habilement valoir à Louis XIV que sa gloire ne saurait être éternelle si elle ne s'inscrit pas dans la lignée d'un César ou d'un Auguste et qu'une littérature sans référence au passé ne saura le célébrer dignement ; le second juge qu'un règne incomparable n'a pas besoin de modèles et que la littérature et la langue françaises doivent prendre leur essor sans chercher à imiter les Anciens. La Fontaine, Racine, Molière, La Rochefoucauld, La Bruyère, presque tous les plus grands écrivains de l'époque sont dans le camp des Anciens. Les deux partis s'opposent pendant sept ans à travers des discours et des publications. En 1692, Perrault fait paraître le *Parallèle des Anciens et des Modernes*, où il tente de montrer la supériorité de son siècle en matière de poésie avant de le montrer, dans une suite, pour les sciences, les techniques, la philosophie et la musique. Boileau, de son côté, publie des *Satires* où il se moque des Modernes et de leur soumission à l'art officiel. Les deux adversaires se réconcilient publiquement en 1694. C'est dans ce contexte que Perrault publie ses premiers contes, *Griselidis* en 1691, *Les Souhaits ridicules* en 1693, *Peau d'Âne* en 1694 et *La Belle au bois dormant* en 1696, avant de faire paraître un recueil de contes en vers en 1694 puis un recueil de contes en prose intitulé *Histoires ou Contes du temps passé* en 1697. Le contexte de parution des contes n'est pas anodin. Ils participent, eux aussi, à la bataille qui oppose les Anciens aux Modernes et, en s'inspirant de contes populaires français et non de modèles antiques, ils s'inscrivent résolument dans le camp des Modernes. Les *Contes* de Perrault participent à la mode du conte de fées qui naît alors ; ils connaissent un grand succès auprès du public, sont réédités de nombreuses fois et sont lus jusque dans les campagnes où ils circulent grâce à la littérature de colportage qui diffuse de petits livres bon marché. Nés dans les cercles mondains de la cour et de la bourgeoisie parisiennes, les contes de Perrault retrouvent leurs origines en se diffusant à leur tour dans les campagnes.

Perrault meurt en 1703, après avoir rédigé pour ses enfants les *Mémoires de ma vie.*

1684 Louis XIV épouse secrètement Mme de Maintenon. Période d'austérité à la cour.
1685 Révocation de l'édit de Nantes et décret abolissant le protestantisme. Exil de nombreux protestants.
1688-1697 Guerre contre la majorité des États européens.
1693-1694 Mauvaise récolte, inflation et famine.
1715 Mort de Louis XIV.

Éléments pour une fiche de lecture

Regarder l'illustration

- Il y a deux personnages qui donnent ses lignes de force à la vignette : si vous placez une règle sur chacun d'eux, que constatez-vous ?
- Quelles sont les couleurs utilisées dans la vignette : sont-elles des couleurs primaires ?
- Quelle couleur domine ? Est-ce une couleur chaude ou froide ?
- Nous vous invitons à moderniser la vignette, soit en dessinant vous-même les personnages, soit en faisant un collage à partir d'illustrations découpées dans des magazines.

Le merveilleux

- Le propre des contes est qu'ils se déroulent dans un monde merveilleux qui n'obéit pas aux règles du monde réel. Tentez de recenser et de classer les éléments merveilleux des *Contes* de Perrault.
  Par rapport à d'autres contes de fées que vous connaissez, vous semble-t-il que Perrault recourt beaucoup ou peu au merveilleux ?
- Vous avez peut-être déjà lu des mythes, par

exemple des mythes grecs. Quelle est la différence selon vous entre un conte et un mythe ?

- Les fées donnent leur nom au genre du conte de fées. Enquêtez sur l'étymologie du mot « fée » et sur son histoire.
- Perrault glisse volontiers des clins d'œil au lecteur ou des remarques humoristiques dans ses contes. Pourquoi ? Trouvez des exemples.
- Le fonctionnement des contes est souvent rapproché de celui des rêves. Tentez de trouver des ressemblances entre les rêves et les contes de fées à partir de l'œuvre de Perrault.

Le temps et l'espace

- Les contes de fées se déroulent-ils n'importe où ? Quels sont les types de lieux que l'on retrouve dans tous les contes de fées ? Essayez de définir le rôle de chacun de ces lieux à partir du texte de Perrault.
- En relisant les *Contes* de Perrault en détail, cherchez à relever les détails qui nous renseignent sur la vie quotidienne du XVIIe siècle. Cherchez aussi ce qui fait que le temps du conte réussit en même temps à rester indéterminé.

Les personnages

- Définissez les types de personnages qui peuplent les *Contes* de Perrault.
- Quelles sortes de relations familiales rencontre-t-on dans les *Contes* ? Alors que les contes se terminent souvent par un mariage, la famille y est-elle présentée comme un univers harmonieux ? Que mettent au jour les contes ?

Le récit

- Les fins des contes de Perrault sont-elles toujours heureuses ? Expliquez la différence entre un conte qui se termine bien et un conte qui se termine mal.
- Lorsque vous lisez des contes, à qui vous identifiez-vous et pourquoi ? Est-ce à un seul personnage ?
- Retrouve-t-on des schémas communs dans les histoires des contes de fées ? Lesquels ?
- Vous est-il possible de deviner dès le début d'un conte quelle sera en gros son intrigue et quelle sera sa fin ?
- Qu'est-ce qu'une épreuve ? Donnez des exemples des épreuves que subissent les personnages de Perrault.
- Les frères Grimm ont publié des contes (disponibles en collection « Folio ») qui, pour certains, sont des versions à la fois très proches et très différentes des contes de Perrault. Comparez « La Belle au bois dormant » et « Cendrillon » dans la version de Perrault et dans celle des Grimm.

La morale des *Contes*

- Reformulez, en langage courant, la moralité de chacun des contes de Perrault. Quelle morale s'en dégage ? Cette morale vous semble-t-elle avoir vieilli ?
- L'univers merveilleux des contes de fées de Perrault et de ses successeurs est à l'origine de plusieurs dessins animés de Walt Disney. Si vous les avez vus et si vous vous en souvenez, vous semble-

t-il que les valeurs des contes aient beaucoup changé de l'un à l'autre ?

- Tentez de trouver des allusions contemporaines aux *Contes* de Perrault, dans la presse, le cinéma, la publicité. À partir d'un exemple concret, montrez comment le conte de Perrault est utilisé, et à quelles fins.

L'oral et l'écrit

- Essayez de repérer, avec de nouveaux exemples, et comme on l'a fait pour « Le Petit Chaperon rouge », des éléments qui rappellent l'origine orale des contes.
- Si vous deviez raconter (sans le lire en même temps) l'un des contes de Perrault devant un auditoire, quelles modifications apporteriez-vous à son texte ?

Gravures

de Gustave Doré

Jean-Luc Vincent

«Ah! que cela est joli, reprit la Princesse, comment faites-vous? donnez-moi que je voie si j'en ferais bien autant.»

(La Belle au bois dormant.)

« Au bout de cent ans, le Fils du Roi qui régnait alors, et qui était d'une autre famille que la Princesse endormie, étant allé à la chasse de ce côté-là, demanda ce que c'était que des Tours qu'il voyait au-dessus d'un grand bois fort épais ; chacun lui répondit selon qu'il en avait ouï parler. »

(La Belle au bois dormant.)

« À peine s'avança-t-il vers les bois, que tous ces grands arbres, ces ronces et ces épines s'écartèrent d'elles-mêmes pour le laisser passer : il marche vers le Château qu'il voyait au bout d'une grande avenue où il entra... »

(La Belle au bois dormant.)

« Il entra dans une grande avant-cour où tout ce qu'il vit d'abord était capable de le glacer de crainte : c'était un silence affreux, l'image de la mort s'y présentait partout, et ce n'était que des corps étendus d'hommes et d'animaux, qui paraissaient morts. »

(La Belle au bois dormant.)

« Il traverse plusieurs chambres pleines de Gentilshommes et de Dames, dormant tous, les uns debout, les autres assis... »

(La Belle au bois dormant.)

« … il entre dans une chambre toute dorée, et il vit sur un lit, dont les rideaux étaient ouverts de tous côtés, le plus beau spectacle qu'il eût jamais vu : une Princesse qui paraissait avoir quinze ou seize ans, et dont l'éclat resplendissant avait quelque chose de lumineux et de divin. Il s'approcha en tremblant et en admirant… »

(La Belle au bois dormant.)

« En passant dans un bois elle rencontra compère le Loup... »

(Le Petit Chaperon rouge.)

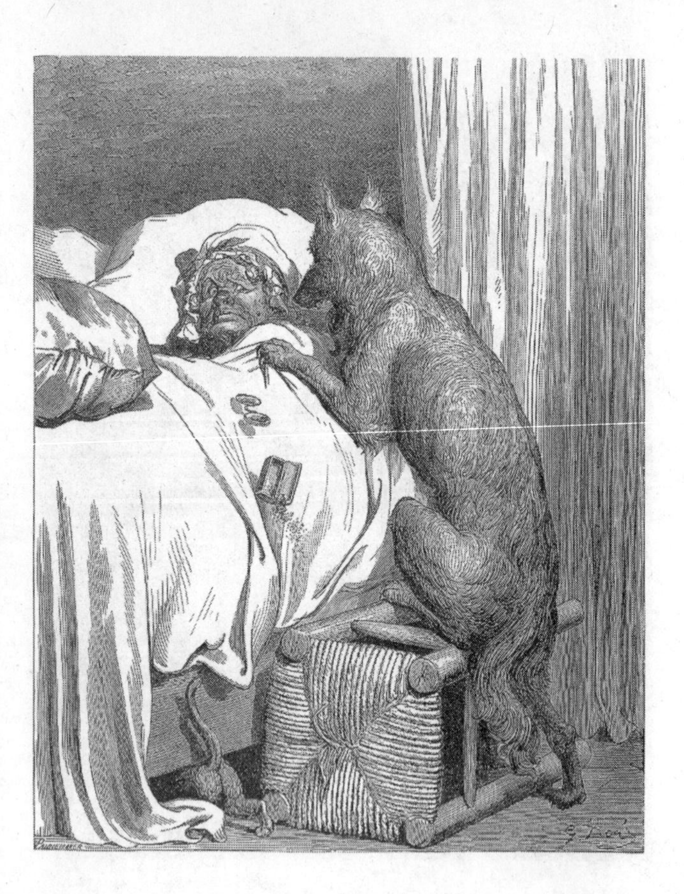

« Il se jeta sur la bonne femme, et la dévora en moins de rien. »

(Le Petit Chaperon rouge.)

« Le Petit Chaperon rouge se déshabille, et va se mettre dans le lit, où elle fut bien étonnée de voir comment sa Mère-grand était faite en son déshabillé. »

(Le Petit Chaperon rouge.)

« Voilà, lui dit-il, les clefs [...], ouvrez tout, allez partout, mais pour ce petit cabinet, je vous défends d'y entrer, et je vous le défends de telle sorte, que s'il vous arrive de l'ouvrir, il n'y a rien que vous ne deviez attendre de ma colère. »

(La Barbe-bleue.)

« Les voilà aussitôt à parcourir les chambres, les cabinets, les garde-robes, toutes plus belles et plus riches les unes que les autres. »

(La Barbe-bleue.)

« Je vois, répondit-elle, deux Cavaliers qui viennent de ce côté-ci, mais ils sont bien loin encore… Dieu soit loué ! s'écria-t-elle un moment après, ce sont mes frères ; je leur fais signe tant que je puis de se hâter. »

(La Barbe-bleue.)

« Ils lui passèrent leur épée au travers du corps. »

(La Barbe-bleue.)

« Au secours, au secours, voilà Monsieur le Marquis de Carabas qui se noie ! »

(Le Chat botté.)

« Bonnes gens qui fauchez, si vous ne dites au Roi que le pré que vous fauchez appartient à Monsieur le Marquis de Carabas, vous serez tous hachés menu comme chair à pâté. »

(Le Chat botté.)

« Le Chat, qui eut soin de s'informer qui était cet Ogre... »

(Le Chat botté.)

« L'Ogre le reçut aussi civilement que le peut un Ogre. »

(Le Chat botté.)

« Un jour qu'elle était à cette fontaine, il vint à elle une pauvre femme qui la pria de lui donner à boire. »

(Les Fées.)

« Le fils du Roi qui revenait de la chasse la rencontra et la voyant si belle, lui demanda ce qu'elle faisait là toute seule et ce qu'elle avait à pleurer. »

(Les Fées.)

« Sa Marraine la creusa. »

(Cendrillon.)

« On n'entendait qu'un bruit confus : Ah, qu'elle est belle ! »

(Cendrillon.)

« Il fit asseoir Cendrillon, et approchant la pantoufle de son petit pied, il vit qu'elle entrait sans peine, et qu'elle y était juste comme de cire. »

(Cendrillon.)

« Elle n'eut pas fait trente pas en continuant sa promenade que Riquet à la houppe se présenta à elle, brave. »

(Riquet à la houppe.)

« Un soir que ces enfants étaient couchés, et que le Bûcheron était auprès du feu avec sa femme, il lui dit, le cœur serré de douleur : Tu vois bien que nous ne pouvons plus nourrir nos enfants. »

(Le Petit Poucet.)

« Il se leva de bon matin, et alla au bord d'un ruisseau où il emplit ses poches de petits cailloux blancs. »

(Le Petit Poucet.)

« Lorsque ces enfants se virent seuls, ils se mirent à crier et à pleurer de toute leur force. Le Petit Poucet les laissait crier, sachant bien par où il reviendrait à la maison... »

(Le Petit Poucet.)

«… car en marchant il avait laissé tomber le long du chemin les petits cailloux blancs qu'il avait dans ses poches.»

(Le Petit Poucet.)

« Ils se mirent à table et mangèrent d'un appétit qui faisait plaisir au Père et à la Mère… »

(Le Petit Poucet.)

« Le Petit Poucet grimpa au haut d'un Arbre pour voir s'il ne découvrait rien. »

(Le Petit Poucet.)

«… une bonne femme vint leur ouvrir.»

(Le Petit Poucet.)

« Il faut, lui dit sa femme, que ce soit ce Veau que je viens d'habiller que vous sentez. »

(Le Petit Poucet.)

« Il les tira de dessous le lit l'un après l'autre. Ces pauvres enfants se mirent à genoux en lui demandant pardon. »

(Le Petit Poucet.)

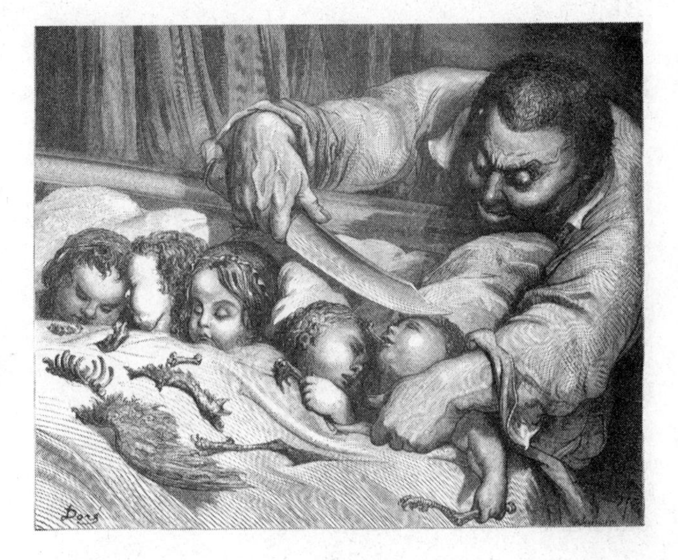

« En disant ces mots, il coupa sans balancer la gorge à ses sept filles. »

(Le Petit Poucet.)

« Le Petit Poucet s'étant approché de l'Ogre lui tira doucement ses bottes. »

(Le Petit Poucet.)

« Elle alla trouver sa Marraine / Loin dans une grotte à l'écart. »

(Peau d'Âne.)

Pour cette illustration et les suivantes, voir page 290, dans le dossier.

(Peau d'Âne.)

(Peau d'Âne.)

(Peau d'Âne.)

(Peau d'Âne.)

(Peau d'Âne.)

Gustave Doré, illustrateur des *Contes* de Perrault

EN 1862, SONT PUBLIÉS les *Contes de ma Mère l'Oye* de Perrault, illustrés par un artiste dont la réputation est déjà solide, Gustave Doré. Comment l'image vient-elle réinvestir le texte écrit près de deux siècles auparavant ? La vision « romantique » du texte classique proposée par Doré permet de s'interroger sur l'histoire de la réception des textes, de chercher à comprendre comment une œuvre est toujours réinterprétée en fonction de la culture de son lecteur ou comment les horizons d'attente des lecteurs se transforment en fonction des époques. Ainsi les illustrations de Doré dans leur rapport avec le texte de Perrault nous renseignent-elles sur le XIXe siècle, mais elles invitent également à une relecture enrichie du texte classique.

1.

Gustave Doré : donner à l'illustration ses lettres de noblesse

1. *L'illustrateur est-il un artiste ?*

Gustave Doré (1832-1883) fut sans doute l'un des illustrateurs les plus remarquables et les plus prolifiques du XIXe siècle. Son œuvre s'inscrit dans un contexte historique particulier qui voit la naissance de l'illustration au sens moderne et l'apparition de nouveaux modes d'édition.

Le statut artistique de l'illustrateur est double et sera l'objet de nombreux débats dès les années 1830. Le parcours de Doré offre un bel exemple de cette légitimité artistique problématique. Il commence, en effet, à seize ans comme illustrateur caricaturiste pour l'éditeur Charles Philipon, directeur de *La Caricature*, du *Charivari* et du *Journal pour rire*. Mais il entend donner à l'illustration et au dessin une plus grande valeur artistique. S'il ne parvient pas vraiment à convaincre comme peintre, ses illustrations des *Contes drolatiques* de Balzac en 1855 lui donnent une première légitimité en dehors de l'illustration journalistique, même si ses dessins restent proches de la caricature. C'est avec son travail d'illustrateur pour l'édition de *La Légende du Juif errant* d'Eugène Sue en 1856 qu'il acquiert une plus grande réputation : la publication est une édition de luxe, de grand format, un in-folio avec douze planches de gravures hors texte. Pour s'affirmer comme artiste à part entière, l'illustrateur cherche à prouver la valeur propre de l'illustration comme travail de dessinateur fait en collaboration avec des graveurs d'art, comme Héliodore Pisan, graveur de beaucoup de planches pour les *Contes* de Perrault. Seule l'édition de luxe permet de préserver la qualité initiale de ce travail. Les illustrations de *L'Enfer* de Dante en 1861, de *Don Quichotte* en 1862 et de *La Bible* en 1864 poursuivent ce projet. Dans le même temps, les dessins et les peintures de Doré sont exposés dans les Salons, ces expositions officielles organisées par l'Académie de peinture et de sculpture, hauts lieux de la critique artistique de l'époque. C'est là que le jeune illustrateur revendique l'indépendance de son art et montre sa volonté d'être reconnu comme artiste « noble ». Mais c'est là aussi qu'il échoue. En effet, il ne convainc pas la critique qui lui reconnaît une grande invention de trait et une grande qualité d'imagination, mais qui lui reproche son incapacité à achever ses œuvres, qu'elle considère d'une plus grande valeur quand elles restent de petite taille et ne prétendent pas à la peinture. Ainsi Théodore de Banville peut-il écrire dans son compte rendu du Salon de 1861 : « Quand nous voyons les beaux dessins si fougueux, si cruellement passionnés [...], nous sommes tout près de regretter que le jeune et illustre maître [Doré] n'en ait pas fait de grandes toiles, mais, en regardant la grande toile, nous voudrions presque, je l'avoue, que la grande toile fût restée dessin au fusain. » Il est vrai que le talent de Doré s'exprime de façon beaucoup plus singulière dans ses dessins et ses illustrations que dans ses essais de « grand œuvre ». Il reste que son travail donne à l'illustration ses lettres de noblesse et a largement contribué à accorder une vraie valeur artistique et esthétique aux genres dits mineurs. En outre, cette volonté de promouvoir un art noble et indépendant permet aussi à l'illustration de s'affranchir des liens de sujétion qui pouvaient la lier au texte.

2. *Doré choisit d'illustrer les* Contes *de Perrault*

Dès 1856 Doré défend le principe de la grande vignette hors texte, opposé à la pratique jusqu'alors courante de la petite vignette insérée dans le cours du texte. Il renonce donc à l'esthétique du croquis, caractéristique de ce que l'on a appelé la vignette romantique au profit des effets picturaux offerts par la gravure de teinte. En choisissant d'illustrer des textes considérés comme des chefs-d'œuvre de la littérature mondiale, il entendait également contribuer à la dignité de l'illustration en prouvant que cet art pouvait prétendre à la confrontation avec de tels textes. Dans des notes des années 1860, Doré déclare : « Je conçus à cette époque (1855), le plan de ces grandes éditions in-folio dont Dante a été le premier volume publié. Ma pensée était, et est toujours celle-ci : faire dans un format uniforme et devant faire collection, tous les chefs-d'œuvre de la littérature, soit épique, soit comique, soit tragique. »

L'édition des *Contes* de Perrault chez Hetzel en 1862 s'inscrit donc dans ce projet : un in-folio de luxe avec quarante-deux planches. Elle révèle également une nouvelle voie empruntée par l'édition à l'époque, celle de l'édition de luxe destinée à un public bourgeois de plus en plus nombreux et en quête de légitimité culturelle. La bourgeoisie enrichie devient, en effet, sous le second Empire la nouvelle classe dominante, comme le montre Émile Zola dans *La Curée*: elle profite du nouvel essor économique et industriel soutenu par la politique de l'empereur (grands travaux, développement des chemins de fer, du commerce...). Dès lors, elle aime à montrer sa nouvelle richesse en s'accaparant les privilèges culturels auxquels elle avait peu accès jusqu'alors. Les magnifiques in-folio illustrés étaient davantage destinés à être mis en évidence sur la table du salon et ouverts lors des réunions mondaines qu'à être lus dans l'intimité du foyer. Le choix des *Contes* de Perrault répond donc aussi à un choix éditorial stratégique en marquant le début de ce que l'on appelle aujourd'hui l'édition de jeunesse. La bourgeoisie entendait offrir à ses enfants une éducation choisie construite selon des modèles « classiques ». L'éditeur Jules Hetzel sera d'ailleurs le créateur en 1864 d'une bibliothèque enfantine et lancera un Magasin d'éducation et de récréation. Il rééditera ainsi les *Contes* de Perrault en 1883 sous son nom d'auteur, P.-J. Stahl, inscrivant l'édition, par un long texte liminaire et une longue étude qui suit les contes, dans un projet de divertissement éducatif et de promotion d'un patrimoine littéraire qu'il juge indispensable à la bonne éducation.

Doré illustrateur de chefs-d'œuvre

1854	*Œuvres* de François Rabelais
1855	*Contes drolatiques* de Balzac
1861	*L'Enfer* de Dante
1862	*Contes* de Perrault
1863	*Don Quichotte* de Cervantès
1865	*Le Paradis perdu* de Milton
1866	*La Bible*
1867	*Fables* de La Fontaine

2.

Les *Contes* de Perrault lus par les romantiques

1. *Le retour des traditions populaires*

Si les années 1860 peuvent être considérées comme marquant la fin du romantisme au sens strict, puisqu'elles voient les débuts d'un nouveau réalisme et les prémices du naturalisme, la deuxième partie du XIXe siècle reste cependant imprégnée de la « révolution romantique » qui s'est opérée dans le domaine des arts et de la littérature. Il n'est donc pas étonnant de voir les *Contes* de Perrault resurgir à cette époque en tant qu'œuvre majeure alors qu'elle avait été méprisée par le siècle précédent. Cet ouvrage condense, en effet, un certain nombre de traits distinctifs qui sont au cœur de l'esprit romantique. Tout d'abord, les *Contes* sont la traduction littéraire d'une tradition orale populaire et ancienne. Or, le romantisme a très vite affirmé son goût pour les formes passées issues de la culture populaire — goût qui s'appuie sur des travaux philologiques et historiques importants. On redécouvre alors les œuvres du Moyen Âge et de la Renaissance, qui remplacent les modèles antiques promus par l'époque classique. Les travaux des frères Grimm en Allemagne permettent ainsi de redécouvrir le conte et la mythologie populaire. Et la publication des *Contes*, en 1857, compilation des textes recueillis par ces deux érudits, connaît un immense succès. L'édition déjà citée des *Contes* de Perrault par P.-J. Stahl insiste, dans ses notices qui suivent les contes eux-mêmes, sur les sources populaires et savantes des histoires racontées, citant très fréquemment les travaux de Grimm et donnant les versions multiples des mêmes histoires dans d'autres cultures. Ainsi renvoie-t-il pour « Cendrillon » aux versions allemande, napolitaine, norvégienne, hongroise, serbe, catalane… Se mêlent deux idées caractéristiques de l'époque : d'une part, la recréation imaginaire par les romantiques de traditions populaires idéalisées, données comme modèles d'une culture plus authentique et plus vraie que celle mise en avant par le classicisme, et, d'autre part, le début des études philologiques et historiques savantes qui amènera au positivisme de la deuxième moitié du siècle, études qui permettent de mettre en évidence une communauté culturelle au-delà des frontières et des identités nationales. Stahl lui-même le dit :

> […] les mêmes inventions ont dû naître un peu partout spontanément. En effet, l'esprit humain a, en tous lieux, certaines puissances et certaines tendances tout à fait identiques ; partout la raison voit une chose et l'imagination en invente une autre, celle-ci étant le contre-pied de celle-là ; partout l'expérience nous apprend qu'il faut compter avec l'espace et le temps, que le monde réel n'est pas parfait et que l'ordre moral y est rare ; partout, au contraire, la fantaisie humaine se joue des obstacles naturels et les supprime mentalement, de même qu'une sagesse profonde, quoique naïve, ou qu'une poésie très haute, bien que peu polie et peu docte, s'efforce de rétablir l'harmonie idéale en bannissant comme impossible le triomphe du vice et l'oppression de la vertu. Le merveilleux compense avec une imperturbable et universelle candeur les leçons corruptrices du fait réel. Du moins, c'est ainsi que procède le peuple dans ses abondantes inventions, au Moyen Âge.

2. *La mise à distance du rationalisme classique*

La valorisation de la « fantaisie » sur la raison fait écho à une autre idée importante héritée du romantisme : le goût pour l'invention imaginaire, pour le magique, le fantastique, bref pour tout ce qui vient remettre en cause la toute-puissante rationalité classique. C'est pourquoi la présence du merveilleux dans les *Contes* de Perrault résonne parfaitement avec l'imaginaire romantique. L'une des formes privilégiées prises par le merveilleux dans la littérature romantique est celle du fantastique. Charles Nodier (1780-1844), qui appartient au premier romantisme, met le genre du conte fantastique à l'honneur. Il est aussi un grand admirateur de Perrault qu'il considère comme « un des génies les plus transcendants qui aient éclairé l'humanité depuis Homère ». Plus proche de l'époque de Gustave Doré, on trouve Théophile Gautier (1811-1872), auteur des *Contes fantastiques,* mais aussi critique d'art et défenseur de l'art de Doré. Car si les *Contes* de Perrault sont édités avec ses illustrations, c'est que précisément l'imaginaire de Doré, informé par son époque, nous offre une vision romantique de l'œuvre du XVIIe siècle, marquée notamment par son goût pour l'angoisse latente inscrite dans les récits de Perrault.

3.

L'illustration des *Contes* par Doré : une vision romantique ?

1. *Du conte de fées au récit fantastique*

La question des liens entre le texte et l'image est une question compliquée. Cette complexité n'a pas échappé aux illustrateurs eux-mêmes à l'époque de Doré. En effet, l'illustration romantique tend à affirmer à la fois son indépendance et sa fidélité par rapport au texte. Les choix de mise en pages faits par les éditeurs révèlent cette volonté d'indépendance : les illustrations apparaissent comme de véritables gravures, qui certes sont inscrites dans le cours du texte, mais ne renvoient pas de façon nécessaire et immédiate à un passage précis. Elles ne sont pas systématiquement « mises en regard » du texte. Elles ne sont pas non plus sous-titrées par une phrase extraite du texte. Dans l'édition de Stahl datée de 1883, une table des « compositions de Gustave Doré » est insérée en fin de volume et l'éditeur précise dans une note : « Il n'y a pas à hésiter entre le devoir de laisser toute liberté à l'inspiration de l'artiste et le petit inconvénient de ne pas toujours montrer le passage imprimé en face du tableau qui devrait le reproduire. Avec des contes toujours si courts et des sujets d'ailleurs si universellement connus, toute légende, toute lettre au-dessous de chaque gravure, eût été superflue et eût gâté la disposition générale de l'édition. » Le dessin est donc inspiré par le texte, il n'en est pas une mise en images. Il propose une « lecture » personnelle du texte, qui révèle ses virtualités. L'imaginaire proposé par le texte entre, pour ainsi dire, en résonance avec l'imaginaire de l'illustrateur.

Le dessin semble prendre pour point de départ une situation décrite par le texte, un segment de récit, et il serait possible de sous-titrer chaque illustration par une phrase extraite du texte, comme nous l'avons fait. Mais Doré crée dans le même temps un monde qui lui appartient, un monde qui mêle réalisme et fantastique, qui met souvent en évidence l'angoisse latente inscrite dans les histoires racontées par Perrault. Il pointe aussi l'une des contradictions du texte dont l'auteur lui-même s'amuse de façon ironique et implicite : des contes pour enfants qui nous montrent des enfants abandonnés, des petites filles convoitées et dévorées par des loups, des jeunes filles tyrannisées, des ogres dévoreurs d'enfants… Les illustrations de Doré opèrent donc, en quelque sorte, une légère transposition générique, faisant passer le texte de la catégorie du conte de fées pour enfants à celle du conte fantastique pour adultes. En cela, sa lecture en images de Perrault est bel et bien une lecture romantique. Le travail sur l'ombre et la lumière que permet la gravure sert particulièrement cette vision plus noire (qui rappelle parfois l'univers des *Contes* d'Andersen). Ce point est particulièrement visible dans les illustrations du « Petit Poucet » : les enfants sont abandonnés « dans une forêt fort épaisse, où à dix pas de distance on ne se voyait pas l'un l'autre », puis à nouveau laissés « dans l'endroit de la forêt le plus épais et le plus obscur ». La forêt de Doré est particulièrement sombre, les arbres sont immenses et les enfants sont comme encerclés par ce milieu hostile qui, par les effets de traits du dessin, semble vivant, en mouvement. Dès qu'il y a une forêt, un bois épais, un château perdu dans le texte de Perrault, les illustrations de Doré en donnent une image sombre et tourmentée. On retrouve deux motifs particulièrement caractéristiques de l'imaginaire romantique : la puissance d'une nature sauvage douée d'une vie propre d'une part, la poétique des ruines de l'autre. Les illustrations de « La Belle au bois dormant » en offrent un bel exemple : Doré puise chez Perrault l'image d'un château suspendu dans un temps arrêté pour en faire un lieu envahi par une nature qui a pris le dessus sur la présence humaine ; la végétation se mêle à la pierre, à l'extérieur (p. 236, 237, 239) comme à l'intérieur (p. 238 et p. 240). L'effet d'étrangeté ainsi produit se double d'un effet poétique proprement romantique, visible aussi dans l'illustration qui représente la fuite de Peau d'Âne (p. 269). Il s'agit bel et bien d'un ajout à la description que Perrault fait des lieux. Doré interprète en fonction de son propre imaginaire les mots de l'écrivain. Mais il prolonge aussi de cette façon un élément inscrit dans le texte, celui d'une nature merveilleuse et puissante (les arbres s'écartent pour laisser passer le prince). On relit ainsi le texte de Perrault dans ce qu'il peut avoir de sourdement effrayant ou angoissant : « Il [le prince] entra dans une grande avant-cour, où tout ce qu'il vit d'abord était capable de le glacer de crainte : c'était un silence affreux, l'image de la mort s'y présentait partout, et ce n'était que des corps étendus d'hommes et d'animaux qui paraissaient morts » (p. 239).

2. *Un certain degré de réalisme*

Le caractère fantastique, onirique même, des dessins de Doré se double d'un certain réalisme qui vient, là encore, souligner ce que les *Contes* peuvent avoir de terrifiant. L'illustration remet alors en question un horizon de lecture qui serait trop marqué non seulement par une vision enfantine du texte, mais aussi par une vision trop classique (le conte comme réécriture galante de la tradition populaire — registre dans lequel les « moralités » inscrivent les histoires en fin de récit). Ce réalisme est particulièrement lisible dans les dessins qui accompagnent « Le Petit Chaperon rouge » et dans la façon dont y sont représentés le loup et la petite fille. Le loup, même s'il parle dans le conte de Perrault, n'est pas pour autant humanisé par Doré. Bien au contraire, il frappe par son réalisme. La composition de l'illustration qui donne à voir la rencontre du loup et du Petit Chaperon rouge dans le bois (p. 241) est intéressante à ce titre : le loup, plus grand que la petite fille, semble l'encercler, sa gueule plongée dans l'ombre et légèrement tournée vers la petite fille qui le regarde avec innocence devient particulièrement terrifiante. Loin de vouloir faire des personnages des contes des personnages de fantaisie (dont les traits seraient formalisés), Doré choisit au contraire de les ancrer dans le réel, renforçant ainsi le caractère effrayant de l'univers décrit par Perrault. En cela, il est fidèle à cette écriture qui mêle elle aussi réalisme et fantaisie, multipliant les références à la société de l'époque. Doré représente avec un grand souci de détails réalistes la pauvreté de la famille du Petit Poucet (p. 258 et p. 262) : les guenilles des enfants, le chat famélique devant la cheminée... Il donne une force nouvelle à la violence de la situation décrite par Perrault : des parents que la misère pousse à abandonner leurs enfants, même s'ils les aiment. Le « romantique » qu'était Doré ne pouvait qu'être sensible à cet aspect du conte. Le réalisme du dessin devient encore plus étonnant lorsqu'il se rapporte à des éléments qui appartiennent pourtant en propre à l'univers de la féerie : réalisme, par exemple, du chat botté, qui reste chat malgré son costume de gentilhomme et sa posture d'homme (sur deux pattes), mais aussi et surtout réalisme de l'ogre. Dans « Le Chat botté » et dans « Le Petit Poucet », l'ogre, même s'il appartient au monde du merveilleux, apparaît dans les dessins de Doré dans toute son affreuse humanité : il est homme avant d'être monstre, ce qui le rend d'autant plus effrayant. Dans « Le Petit Poucet », l'illustration qui le représente avec sa femme lui servant à boire (p. 265) ne le montre pas comme un monstre difforme, mais comme un homme fort, bon vivant. Sa monstruosité apparaît dans l'illustration le représentant tuant ses filles, un énorme couteau à la main, les yeux exorbités (p. 267). Doré se plaît également à insérer dans ces gravures quelques détails réalistes particulièrement éloquents : corps de tout petits enfants morts disposés sur un plat dans la salle à manger de l'ogre du « Chat botté » (p. 251), os rongés sur le lit des filles de l'ogre, « qui mordai[en]t déjà les petits enfants pour en sucer le sang » dans « Le Petit Poucet » (p. 265). Ces détails peuvent faire sourire, mais ils créent une instabilité entre le merveilleux et le réel, donnant une force supplémentaire à la monstruosité du personnage mangeur d'enfants. Doré met au jour une violence sous-jacente au texte de Perrault, mais qui y est malgré tout inscrite comme nous le rappelle la dernière partie de « La Belle au bois dormant », où l'on voit la cruauté de la mère du Prince, elle-même ogresse qui demande à manger ses petits-enfants, ou la chambre couverte de sang caillé dans « La Barbe-bleue ».

Si Doré donne au merveilleux des allures de cauchemar à la fois romantique et réaliste, il n'en oublie pas pour autant le registre comique. En effet, plusieurs illustrations, et notamment celles de « Cendrillon », font écho à l'humour qui caractérise souvent l'écriture de Perrault. Doré retrouve alors ses talents de caricaturiste. L'image qu'il donne de la cour du prince (p. 255) est parsemée d'éléments comiques, voire satiriques : le personnage aux très longues moustaches qui s'élève au-dessus de la foule en arrière-plan, la grosse femme au premier plan à droite qui s'agrippe au vêtement de son voisin et au bras de sa voisine, pour mieux voir la jeune princesse inconnue ou pour ne pas tomber à la renverse de jalousie. Il s'agit aussi parfois d'un petit détail qui fait sourire, comme la souris attachée à la ceinture du chat botté en signe de trophée (p. 248). Ce registre reste cependant très discret sur l'ensemble des gravures.

Les illustrations de Gustave Doré mettent en évidence des caractéristiques inscrites dans le texte de Perrault, dont elles s'emparent pour proposer une vision singulière. Tout en étant fidèle au texte, Doré opère un choix qui se fait en fonction d'une sensibilité marquée par son époque, en l'occurrence le romantisme, et le merveilleux se teinte de fantastique. Le monde des contes apparaît comme un monde plus tourmenté et plus violent. L'image joue donc sur notre horizon de lecture et accentue l'instabilité des registres déjà inscrite en filigrane dans l'écriture de Perrault. Elle permet d'interroger les lectures possibles inscrites dans le texte. Nous sommes alors invités à de constants allers et retours qui ne cessent d'enrichir notre lecture.

4.

Les choix de Gustave Doré

Contes de Perrault	Illustrations de Doré
La Belle au bois dormant	6
Le Petit Chaperon rouge	3
La Barbe bleue	4
Le Maître Chat, ou le Chat botté	4
Les fées	2
Cendrillon, ou la Petite Pantoufle de verre	3
Riquet à la houppe	1
Le Petit Poucet	11
Grisélidis	0 conte en vers absent de l'édition illustrée de 1862

Peau d'Âne	6 mais d'après la version en prose du conte, version anonyme apocryphe
Les Souhaits ridicules	0 conte en vers absent de l'édition illustrée de 1862

Ce tableau nous permet de faire deux types de remarques :

— une remarque éditoriale : le texte choisi pour la version illustrée des *Contes* par Doré est partiel. Il n'intègre pas les contes en vers, jugés sans doute trop classiques dans leur facture et inscrivant le conte dans un genre à la frontière de la littérature moraliste et de la littérature galante, genre qui intéresse peu le lecteur du XIXe siècle. On notera d'ailleurs à ce propos que les moralités qui, dans le texte original, clôturent chaque récit ont été supprimées de l'édition de 1883. Il est aussi remarquable que la version de « Peau d'Âne » retenue pour l'édition illustrée soit une version apocryphe en prose qui varie sensiblement du récit fait par Perrault. Elle supprime ainsi certains segments du récit initial pour en proposer de nouveaux.

Voilà pourquoi cinq des six illustrations de Doré ne correspondent à aucun passage du texte en vers :

Illustration 36 : les ministres poussent le roi à choisir une nouvelle épouse. Chez Perrault, le roi se décide lui-même.

Illustration 37 : le roi va prendre l'avis d'un vieux druide retiré dans la forêt, pour savoir s'il peut épouser sa propre fille. Chez Perrault, l'avis lui est donné par un casuiste, c'est-à-dire un homme d'Église capable de justifier un choix même contraire à la morale par un raisonnement religieux complexe.

Illustration 38 : Peau d'Âne s'enfuit du château sur une charrette tirée par un mouton. Chez Perrault, elle part à pied.

Illustration 39 : Peau d'Âne se baigne au bord de l'eau. Cette vision bucolique et pastorale est absente du récit de Perrault.

Illustration 40 : des gens du monde entier viennent prétendre à la main du jeune prince. Chez Perrault, le récit est plus allusif (« Il n'en est point qui ne s'apprête / À venir présenter son doigt / Ni qui veuille céder son droit »).

La réécriture en prose va dans le sens d'un plus grand pittoresque et gomme les difficultés interprétatives (liées au fait que non seulement un père veut épouser sa fille, mais qu'en outre il la désire), ainsi que les éléments qui inscrivent le récit dans un contexte culturel et idéologique trop lié au temps de Perrault.

— une remarque sur les illustrations elles-mêmes : « La Belle au bois dormant » et « Le Petit Poucet » regroupent à eux seuls près de la moitié des illustrations de Doré. C'est sans doute que ces deux contes concentrent un certain nombre de motifs qui résonnent particulièrement avec l'imaginaire romantique de l'illustrateur : présence forte de la nature dans les deux récits (le bois, la forêt sombre et épaisse), présence d'un château suspendu dans un temps ancien dans « La Belle au bois dormant » (qui peut faire écho à la poétique romantique des ruines), inscription de l'histoire dans le milieu de la paysannerie affamée dans « Le Petit Poucet » (qui intéresse le réalisme pittoresque et populaire des romantiques)… Cette remarque met plus largement en évidence ce qui structure l'imaginaire de Doré, qui mêle un fantastique proche du gothique au réalisme. C'est dans le style même du dessin, si l'on excepte les illustrations qui rappellent son travail de caricaturiste, que se construit son imaginaire. Ainsi le jugement de Théophile Gautier semble-t-il particulièrement juste : « Gustave Doré est à la fois réaliste et chimérique. »

Pour prolonger la réflexion

Alain-Marie BASSY, « Le texte et l'image », *Histoire de l'édition française*, Paris, Promodis, 1984, vol. 2.

Philippe KAENEL, *Le métier d'illustrateur 1830-1880, Rodolphe Töpffer, J.-J. Grandville, Gustave Doré*, Paris, Droz, 2004.

Gustave Doré, réaliste et visionnaire, catalogue d'exposition, Bevaix, Galerie Arts Anciens, Genève, Éditions du Tricorne, 1985.

Michel MELOT, « Le texte et l'image », *Histoire de l'édition française*, Paris, Promodis, 1985, vol. 3.

Michel PASTOUREAU, « L'illustration du livre : comprendre ou rêver ? », *Histoire de l'édition française*, Paris, Promodis, vol. 1.

Annie RENONCIAT, *La vie et l'œuvre de Gustave Doré*, Paris, ACR Édition-Vilo, 1985.

Collège

La Bible (textes choisis) (49)
Fabliaux (textes choisis) (37)
CHRÉTIEN DE TROYES, *Le Chevalier au Lion* (2)
COLETTE, *Dialogues de bêtes* (36)
CORNEILLE, *Le Cid* (13)
Gustave FLAUBERT, *Trois contes* (6)
Ernest HEMINGWAY, *Le Vieil Homme et la mer* (63)
HOMÈRE, *Odyssée* (18)
Victor HUGO, *Claude Gueux* suivi de *La Chute* (15)
Joseph KESSEL, *Le Lion* (30)
Jean de LA FONTAINE, *Fables* (34)
J. M. G. LE CLÉZIO, *Mondo et autres histoires* (67)
Gaston LEROUX, *Le Mystère de la chambre jaune* (4)
Guy de MAUPASSANT, *12 contes réalistes* (42)
MOLIÈRE, *L'Avare* (41)
MOLIÈRE, *Le Médecin malgré lui* (20)
MOLIÈRE, *Les Fourberies de Scapin* (3)
MOLIÈRE, *Trois courtes pièces* (26)
Louis PERGAUD, *La Guerre des boutons* (65)
Jacques PRÉVERT, *Paroles* (29)
Jules RENARD, *Poil de Carotte* (66)
John STEINBECK, *Des souris et des hommes* (47)
Robert Louis STEVENSON, *L'Étrange Cas du docteur Jekyll et de M. Hyde* (53)
Michel TOURNIER, *Vendredi ou La Vie sauvage* (44)
Fred UHLMAN, *L'Ami retrouvé* (50)
Jules VALLÈS, *L'Enfant* (12)

Paul VERLAINE, *Fêtes galantes* (38)
Jules VERNE, *Le Tour du monde en 80 jours* (32)
Oscar WILDE, *Le Fantôme de Canterville* (22)

Lycée

Série Classiques

Écrire sur la peinture (anthologie) (68)
La poésie baroque (anthologie) (14)
Le sonnet (anthologie) (46)
Honoré de BALZAC, *La Peau de chagrin* (11)
Charles BAUDELAIRE, *Les Fleurs du mal* (17)
Albert CAMUS, *L'Étranger* (40)
Louis-Ferdinand CÉLINE, *Voyage au bout de la nuit* (60)
Albert COHEN, *Le Livre de ma mère* (45)
Pierre CORNEILLE, *Le Menteur* (57)
Marguerite DURAS, *Un barrage contre le Pacifique* (51)
Annie ERNAUX, *La place* (61)
Gustave FLAUBERT, *Madame Bovary* (33)
Sébastien JAPRISOT, *Un long dimanche de fiançailles* (27)
Charles JULIET, *Lambeaux* (48)
Pierre Choderlos de LACLOS, *Les Liaisons dangereuses* (5)
Jean de LA BRUYÈRE, *Les Caractères* (24)
Madame de LAFAYETTE, *La Princesse de Clèves* (39)
MARIVAUX, *L'Île des esclaves* (19)
Guy de MAUPASSANT, *Le Horla* (1)
Guy de MAUPASSANT, *Pierre et Jean* (43)
MOLIÈRE, *L'École des femmes* (25)

DANS LA MÊME COLLECTION

M. YOURCENAR *Le Coup de Grâce*

Marguerite Yourcenar renouvelle le thème du triangle amoureux dans cette somptueuse et tragique histoire d'amour.

Dans la même collection

R. AKUTAGAWA *Rashômon et autres contes* (Folio n° 3931)

M. AMIS *L'état de l'Angleterre* précédé de *Nouvelle carrière* (Folio n° 3865)

H. C. ANDERSEN *L'elfe de la rose et autres contes du jardin* (Folio n° 4192)

ANONYME *Conte de Ma'rûf le savetier* (Folio n° 4317)

ANONYME *Le poisson de jade et l'épingle au phénix* (Folio n° 3961)

ANONYME *Saga de Gísli Súrsson* (Folio n° 4098)

G. APOLLINAIRE *Les Exploits d'un jeune don Juan* (Folio n° 3757)

ARAGON *Le collaborateur et autres nouvelles* (Folio n° 3618)

I. ASIMOV *Mortelle est la nuit* précédé de *Chante-cloche* (Folio n° 4039)

H. DE BALZAC *L'Auberge rouge* (Folio n° 4106)

T. BENACQUISTA *La boîte noire et autres nouvelles* (Folio n° 3619)

K. BLIXEN *L'éternelle histoire* (Folio n° 3692)

M. BOULGAKOV *Endiablade* (Folio n° 3962)

R. BRADBURY *Meurtres en douceur et autres nouvelles* (Folio n° 4143)

L. BROWN *92 jours* (Folio n° 3866)

S. BRUSSOLO *Trajets et itinéraires de l'oubli* (Folio n° 3786)

J. M. CAIN *Faux en écritures* (Folio n° 3787)

A. CAMUS	*Jonas ou l'artiste au travail* suivi de *La pierre qui pousse* (Folio n° 3788)
T. CAPOTE	*Cercueils sur mesure* (Folio n° 3621)
T. CAPOTE	*Monsieur Maléfique et autres nouvelles* (Folio n° 4099)
A. CARPENTIER	*Les Élus et autres nouvelles* (Folio n° 3963)
C. CASTANEDA	*Stopper-le-monde* (Folio n° 4144)
M. DE CERVANTÈS	*La petite gitane* (Folio n° 4273)
R. CHANDLER	*Un mordu* (Folio n° 3926)
G.K. CHESTERTON	*Trois enquêtes du Père Brown* (Folio n° 4275)
E. M. CIORAN	*Ébauches de vertige* (Folio n° 4100)
COLLECTIF	*Au bonheur de lire* (Folio n° 4040)
COLLECTIF	*« Dansons autour du chaudron » Les sorcières de la littérature* (Folio n° 4274)
COLLECTIF	*Des mots à la bouche* (Folio n° 3927)
COLLECTIF	*« Il pleut des étoiles »* (Folio n° 3864)
COLLECTIF	*« Leurs yeux se rencontrèrent... »* (Folio n° 3785)
COLLECTIF	*« Ma chère Maman... »* (Folio n° 3701)
COLLECTIF	*« Mourir pour toi »* (Folio n° 4191)
COLLECTIF	*« Parce que c'était lui ; parce que c'était moi »* (Folio n° 4097)
COLLECTIF	*Un ange passe* (Folio n° 3964)
CONFUCIUS	*Les Entretiens* (Folio n° 4145)
J. CONRAD	*Jeunesse* (Folio n° 3743)
J. CORTÁZAR	*L'homme à l'affût* (Folio n° 3693)
D. DAENINCKX	*Ceinture rouge* précédé de *Corvée de bois* (Folio n° 4146)
D. DAENINCKX	*Leurre de vérité et autres nouvelles* (Folio n° 3632)
R. DAHL	*L'invité* (Folio n° 3694)

R. DAHL	*Gelée royale* précédé de *William et Mary* (Folio n° 4041)
S. DALI	*Les moustaches radar (1955-1960)* (Folio n° 4101)
M. DÉON	*Une affiche bleue et blanche et autres nouvelles* (Folio n° 3754)
R. DEPESTRE	*L'œillet ensorcelé et autres nouvelles* (Folio n° 4318)
D. DIDEROT	*Lettre sur les aveugles à l'usage de ceux qui voient* (Folio n° 4042)
R. DUBILLARD	*Confession d'un fumeur de tabac français* (Folio n° 3965)
S. ENDO	*Le dernier souper et autres nouvelles* (Folio n° 3867)
ÉPICTÈTE	*De la liberté* précédé de *De la profession de Cynique* (Folio n° 4193)
W. FAULKNER	*Le Caïd et autres nouvelles* (Folio n° 4147)
W. FAULKNER	*Une rose pour Emily et autres nouvelles* (Folio n° 3758)
F. S. FITZGERALD	*La Sorcière rousse* précédé de *La coupe de cristal taillé* (Folio n° 3622)
F. S. FITZGERALD	*Une vie parfaite* suivi de *L'accordeur* (Folio n° 4276)
C. FUENTES	*Apollon et les putains* (Folio n° 3928)
GANDHI	*La voie de la non-violence* (Folio n° 4148)
R. GARY	*Une page d'histoire et autres nouvelles* (Folio n° 3753)
J. GIONO	*Arcadie... Arcadie...* précédé de *La pierre* (Folio n° 3623)
J. GIONO	*Prélude de Pan et autres nouvelles* (Folio n° 4277)
W. GOMBROWICZ	*Le festin chez la comtesse Fritouille et autres nouvelles* (Folio n° 3789)
H. GUIBERT	*La chair fraîche et autres textes* (Folio n° 3755)
E. HEMINGWAY	*L'étrange contrée* (Folio n° 3790)

E. HEMINGWAY	*Histoire naturelle des morts et autres nouvelles* (Folio n° 4194)
C. HIMES	*Le fantôme de Rufus Jones et autres nouvelles* (Folio n° 4102)
E. T. A. HOFFMANN	*Le Vase d'or* (Folio n° 3791)
P. ISTRATI	*Mes départs* (Folio n° 4195)
H. JAMES	*Daisy Miller* (Folio n° 3624)
H. JAMES	*Le menteur* (Folio n° 4319)
T. JONQUET	*La folle aventure des Bleus...* suivi de *DRH* (Folio n° 3966)
F. KAFKA	*Lettre au père* (Folio n° 3625)
J. KEROUAC	*Le vagabond américain en voie de disparition* précédé de *Grand voyage en Europe* (Folio n° 3694)
J. KESSEL	*Makhno et sa juive* (Folio n° 3626)
JI YUN	*Des nouvelles de l'au-delà* (Folio n° 4326)
R. KIPLING	*La marque de la Bête et autres nouvelles* (Folio n° 3753)
LAO SHE	*Histoire de ma vie* (Folio n° 3627)
LAO-TSEU	*Tao-tö king* (Folio n° 3696)
J. M. G. LE CLÉZIO	*Peuple du ciel* suivi de *Les bergers* (Folio n° 3792)
J. LONDON	*La piste des soleils et autres nouvelles* (Folio n° 4320)
H. P. LOVECRAFT	*La peur qui rôde et autres nouvelles* (Folio n° 4194)
P. MAGNAN	*L'arbre* (Folio n° 3697)
K. MANSFIELD	*Mariage à la mode* précédé de *La Baie* (Folio n° 4278)
G. DE MAUPASSANT	*Le Verrou et autres contes grivois* (Folio n° 4149)
I. McEWAN	*Psychopolis et autres nouvelles* (Folio n° 3628)
P. MICHON	*Vie du père Foucault – Vie de Georges Bandy* (Folio n° 4279)
H. MILLER	*Plongée dans la vie nocturne...* précédé de *La boutique du Tailleur* (Folio n° 3929)

S. MINOT	*Une vie passionnante et autres nouvelles* (Folio n° 3967)
Y. MISHIMA	*Dojoji et autres nouvelles* (Folio n° 3629)
Y. MISHIMA	*Martyre* précédé de *Ken* (Folio n° 4043)
M. DE MONTAIGNE	*De la vanité* (Folio n° 3793)
E. MORANTE	*Donna Amalia et autres nouvelles* (Folio n° 4044)
V. NABOKOV	*Un coup d'aile* suivi de *La Vénitienne* (Folio n° 3930)
P. NERUDA	*La solitude lumineuse* (Folio n° 4103)
F. O'CONNOR	*Un heureux événement* suivi de *La Personne Déplacée* (Folio n° 4280)
K. ÔÉ	*Gibier d'élevage* (Folio n° 3752)
L. OULITSKAÏA	*La maison de Lialia et autres nouvelles* (Folio n° 4045)
C. PAVESE	*Terre d'exil et autres nouvelles* (Folio n° 3868)
C. PELLETIER	*Intimités et autres nouvelles* (Folio n° 4281)
L. PIRANDELLO	*Première nuit et autres nouvelles* (Folio n° 3794)
E. A. POE	*Aventure sans pareille d'un certain Hans Pfaall* (Folio n° 3862)
J.-B. POUY	*La mauvaise graine et autres nouvelles* (Folio n° 4321)
M. PROUST	*L'affaire Lemoine* (Folio n° 4325)
QIAN ZHONGSHU	*Pensée fidèle* suivi de *Inspiration* (Folio n° 4324)
R. RENDELL	*L'Arbousier* (Folio n° 3620)
P. ROTH	*L'habit ne fait pas le moine* précédé de *Défenseur de la foi* (Folio n° 3630)
D. A. F. DE SADE	*Ernestine. Nouvelle suédoise* (Folio n° 3698)
D. A. F. DE SADE	*La Philosophie dans le boudoir* (Les quatre premiers dialogues) (Folio n° 4150)

SAINT AUGUSTIN	*La Création du monde et le Temps* suivi de *Le Ciel et la Terre* (Folio n° 4322)
A. DE SAINT-EXUPÉRY	*Lettre à un otage* (Folio n° 4104)
J.-P. SARTRE	*L'enfance d'un chef* (Folio n° 3932)
B. SCHLINK	*La circoncision* (Folio n° 3869)
B. SCHULZ	*Le printemps* (Folio n° 4323)
L. SCIASCIA	*Mort de l'Inquisiteur* (Folio n° 3631)
SÉNÈQUE	*De la constance du sage* suivi de *De la tranquillité de l'âme* (Folio n° 3933)
G. SIMENON	*L'énigme de la* Marie-Galante (Folio n° 3863)
D. SIMMONS	*Les Fosses d'Iverson* (Folio n° 3968)
J. B. SINGER	*La destruction de Kreshev* (Folio n° 3871)
P. SOLLERS	*Liberté du XVIIIème* (Folio n° 3756)
STENDHAL	*Féder ou Le Mari d'argent* (Folio n° 4197)
R. L. STEVENSON	*Le Club du suicide* (Folio n° 3934)
I. SVEVO	*L'assassinat de la Via Belpoggio et autres nouvelles* (Folio n° 4151)
R. TAGORE	*La petite mariée* suivi de *Nuage et soleil* (Folio n° 4046)
J. TANIZAKI	*Le coupeur de roseaux* (Folio n° 3969)
J. TANIZAKI	*Le meurtre d'O-Tsuya* (Folio n° 4195)
A. TCHEKHOV	*Une banale histoire* (Folio n° 4105)
L. TOLSTOÏ	*Le réveillon du jeune tsar et autres contes* (Folio n° 4199)
I. TOURGUÉNIEV	*Clara Militch* (Folio n° 4047)
M. TOURNIER	*Lieux dits* (Folio n° 3699)
M. VARGAS LLOSA	*Les chiots* (Folio n° 3760)
P. VERLAINE	*Chansons pour elle et autres poèmes érotiques* (Folio n° 3700)
L. DE VINCI	*Prophéties* précédé de *Philosophie* et *Aphorismes* (Folio n° 4282)
VOLTAIRE	*Traité sur la Tolérance* (Folio n° 3870)

H. G. WELLS	*Un rêve d'Armageddon* précédé de *La porte dans le mur* (Folio n° 4048)
E. WHARTON	*Les lettres* (Folio n° 3935)
O. WILDE	*La Ballade de la geôle de Reading* précédé de *Poèmes* (Folio n° 4200)
R. WRIGHT	*L'homme qui vivait sous terre* (Folio n° 3970)

NOTES

Composition Interligne
Impression Novoprint
à Barcelone, le 02 juin 2006
Dépôt légal : juin 2006
ISBN 2-07-033938-6/Imprimé en Espagne.